Rich致富 04

富爸爸，窮爸爸

Rich Dad, Poor Dad

羅勃特・T・清崎
莎朗・L・萊希特◎著

楊軍　楊明◎譯

世界圖書出版公司
高寶國際集團
合作出版

眞正享受人生

富爸爸，窮爸爸

Rich Dad, Poor Dad:
What the Rich Teach Their Kids about Money－
That the Poor and Middle Class Do Not!

作者：羅勃特・T・清崎、莎朗・L・萊希特
譯者：楊軍 、 楊明
主編：張復先
出版者：世界圖書出版公司(北京朝內大街137號)
致富館／英屬維京群島商高寶國際有限公司台灣分公司（台北市內湖區新明路174巷15號10樓）
E-mail：readers@sitak.com.tw（讀者服務部）
pr@sitak.com.tw（公關諮詢部）
電話：(02)27911197 27918621
電傳：出版部 (02)27955824 行銷部 27955825
網址：www.sitak.com.tw
郵政劃撥：19394552
戶名：英屬維京群島商高寶國際有限公司台灣分公司
法律顧問：梁開天律師、張靜律師、李永然律師、蕭雄淋律師

行政院新聞局局版北市業字第1172號
2001年1月第1版第1刷

國家圖書館出版品預行編目資料

富爸爸，窮爸爸/羅勃特 .T .清崎 ，莎朗 .L .萊希特合著；楊軍 ，楊明合譯.
— 第1版. — 臺北市：高寶國際,2001[民90]
面；公分. —(Rich致富館；4)
譯自：Rich dad, poor dad :what the rich teach their kids about money that the poor and middle class do not!

ISBN 957-467-202-6(平裝)
1.理財 2.投資

563 89018156

要想獲得財務自由，你一定要讀《富爸爸，窮爸爸》。這本書介紹了許多有益於你未來財務狀況的常識和對於市場的見解。

——齊格・齊格勒(世界著名作家、演講家)

如果你想獲得關於個人如何致富並保持富裕的智慧，就看這本書吧！同時也引導你的孩子去讀這本書(包括使用財務手段)。

——馬克・維克托・漢森(《紐約時報》之《心靈雞湯系列》作者之一)

《富爸爸，窮爸爸》並不是一本普通的關於金錢的書……《富爸爸，窮爸爸》通俗易懂，它所傳達的主要資訊(比如：致富需要集中力量)是非常簡單而富於震撼力。

——《火奴魯魯雜誌》

我眞希望我年輕時讀過這本書，如果我父母當時讀過就更好了。這樣一本如此有價值的書，你應該給你的孩子買一本，你還應該多買幾本，如果你有孫子的話，他們到八、九歲時，你可以將這本書作？禮物送給他(她)們。

——休・布勞恩(Tenant Chek of America總裁)

《富爸爸，窮爸爸》是教你對自己的財務負責並通過掌握金錢運動的規律來增加財富的一本書。如果你想喚醒你在理財方面的天賦，就讀這本書吧！——埃德・柯肯博士(墨爾本大學財務系講師)

我眞希望二十年前就讀過這本書！

——拉里森・克拉克

對任何想取得對自己未來財務生活控制力的人，本書都將是一個最好的起點。——《今日美國》

序言　這就是你所需要的

莎朗・L・萊希特

學校真的讓孩子們準備好應付真實的世界了嗎？

「努力學習，得到好成績，你就能找到高薪並且伴有很多其他好處的職位。」我父母過去常這麼對我說。他們的生活目標就是供我和姊姊上大學，覺得這樣我們就有了在生活中獲得成功的最好機會。一九七六年，當我從佛羅里達州立大學會計專業以全班第一的成績光榮獲得學位證書時，我的父母實現了他們的目標，並把這作為他們一生中最引以為自豪的成就。根據「大師計劃」，我很快便被「八大」會計公司中的一家雇用，於是我在很早就覺察到了我今後漫長的職業生涯直至退休將是一條不會有太多變化的平穩道路。

我丈夫邁克爾也走著同樣的路。我們都來自努力工作的家庭，有著樸素的生活方式和極強的職業道德觀。邁克爾也是以優異的成績從名牌大學畢業的，他還先後深造過兩次：一次是作為工程師，另一次是在法律學校。這之後，他便很快被華盛頓一所著名的法律公司聘用，專攻專利法。和我一樣，他的未來看起來非常光明，事業的道路也已被很好的確定了，而且還有充分的退休保障。

雖然我們在事業上很成功，應該說已經達到甚至超出了父母們當初提出的希望，但生活卻並不像他們當初為我們所描繪的那麼一勞永逸。由於新經濟時代的種種原因，我們都曾先後換了幾次工作，這使得當初看起來如此誘人的職業養老金計劃幾乎成了泡影，我們的退休金只能靠自己掙了。

邁克爾和我婚姻美滿並有三個好孩子。當我寫這些話時候，其中兩個正在大學，另一個也已開始念高中。我們花了許多錢希望使我們的孩子得到盡可能最好的教育。

一九九六年的一天，最小的孩子帶著破滅的幻想從學校歸來，他說他已經厭倦了，不想再去學習。「為什麼我要花時間去學那些我真實生活中一輩子也用不到的東西呢？」他抗議道。

我毫不思索地答道：「因為如果你學得不好就進不了大學。」

「可我並不想去上大學呢，」他說，「我只想發財。」

「如果你不能從大學畢業，就得不到好工作，」我帶著一絲驚慌和母親的關愛說，「如果你得不到好的工作，又怎麼發財呢？」

兒子笑了，帶著一點厭煩之情慢慢地搖了搖頭。我們以前已經進行過多次類似的談話了，每次都會歸結到這個結論上。他低下頭轉轉眼睛，顯然，我那母親式的智慧之詞又一次在裝聾的耳朵面前失敗了。

兒子雖然很聰明並且有著強烈的自我意願，但他仍不失為一個有禮貌、尊敬人的年輕人。

「媽媽，」他又開口了，這次輪到我聽演講了，「跟上時代吧！妳看看周圍，那些最富有的人並不是因為受了良好的教育才致富的，看看麥可・喬丹和瑪丹娜吧，再看看比爾・蓋茲，他退出了哈佛，建立了微軟，他現在是全美最富有的人，而他才三十多歲。即使被貼上了『標新立異』的標簽，他還是擁有每年花費四百萬美元的棒球場。」

我們都沉默了很久，我想該是輪到我把父母曾給我的忠告傳授給兒子的時候了，但我卻沒有意識到世界已經變了，那忠告或許也需要變一變了。

當我的努力持續了大約十分鐘後，我發現我已經無法再用當初父母說服我的話去說服兒子了，因為時代的確是變了，現實的許多例子告訴我們：得到好的教育和好的成績不再能確保成功了。而孩子們似乎比我們先意識到了這一點。

「媽，」兒子還在繼續他的演講，「我不想將來像妳和爸那樣辛苦地工作。你們是掙了很多錢，使我們住在一所有很多玩具的大房子裡，但同時你們每個月也要付大量的賬單。如果聽從你們的建議，我將來就會像你們一樣，加倍努力地工作只是為了付更多的稅和欠更多的債務。現在世界上根本沒有什麼穩定的工作了，人生潮起潮落、變化莫測。相信妳也知道大學畢業生在今天已經比你們畢業時掙的錢少多了。再看看醫生，他們今天掙的也已經遠不如從前了。我知道我不能再寄希望於社會保障或公司的退休金了，我要尋求新的出路。」

沉默了片刻，我想他是對的，他的確需要新的答案，我也是。我父母的忠告也許對一九四五年出生的人來說是有用的，但對出生於當今這個迅速變化的時代的人來說，則可能已經派不上用場了。我不能再只是簡單地對孩子們重複說道：「去上學，爭取拿好成績，然後找到安全、穩定的工作，它會供養你一輩子。」我知道我必須找到一條新路並指引給孩子們。

作為一個母親和會計師，我很關注孩子們在學校裡所缺乏的經濟知識。今天許多年輕人在進高中前就有了信用卡，但卻從未上過關於錢或如何投資的課程，更不用說理解那些複雜而有趣的信用卡業務了。若不具備足夠的財務智商，不瞭解金錢運轉的規律，他們就沒有準備好進入等著他們的現實世界，因為在這個世界裡會花錢將比會省錢更受到重視。

當我最大的兒子在大學一年級就毫無辦法地陷入信用卡債務危機時，我幫他處理了那些信用卡，但不久他又遇上了同樣的麻煩。這件事促使我一直想去尋找一種能幫助我在經濟事務上教育孩子，啟發他們的財務智商的方法。

去年的一天，我丈夫從辦公室打了一通電話來，「我這兒有個人，我想妳該同他見見面。他名叫羅勃特・T・清崎，他是個商人和投資家，而且他正準備在我這兒申請一項新的教育產品的專利，我想這麼品正是妳要找的東西。」

正是我要尋找的

由於我的丈夫邁克爾對「現金流」CASHFLOW這種由羅勃特・T・清崎開發出的新教

育產品印象深刻，於是他安排了我們去參加其產品原型的一個測試。因為這是一場教育遊戲，我也問了十九歲的女兒是否願意一塊兒去，她是本地大學的大一學生，她同意了。

大約有十五人，分成三組，參加了這個遊戲。邁克爾是對的，這正是我在尋找的東西。它看上去就像「大富翁」一類的遊戲，中間畫著一隻打扮入時的大老鼠。但它並不像那些遊戲那樣簡單，遊戲板上有兩條路：一條在內部，一條在外部。遊戲的目標是走出內部的路──羅勃特把它稱作「老鼠賽跑」，進入到外面的路上，或叫「快車道」，並最終以投資獲得的收益實現自己的「人生夢想」。正如羅勃特所設計的，快車道就如同「大富翁」一類的遊戲那樣充分地顯示了富人在生活中是怎麼幹的，然而當大多數的玩者在生活中還沒有真正成為富人以前，這些遊戲除了增加人們不切實際的財富夢想和純粹的娛樂以外，似乎並不能對人們的經濟生活有任何幫助和指導。然而當羅勃特接著向我們解釋「老鼠賽跑」的含義時，我立刻被深深地吸引住了。

「如果妳看看一般受過教育的、努力工作的人的生活，就會看到一條十分相似的道路。孩子出生了，然後去上學，自豪的父母十分興奮，因為他們的孩子成績十分出色，而且進了名牌大學。之後這孩子畢業了，也許繼續深造，然後像編好的程式一樣做下面的事：找個安全、穩定的工作，也許是個醫生或律師，或參加了軍隊或進了政府部門。他開始掙錢了，信用卡開始蜂擁而至，而且開始購物，如果以前他還沒有這樣做過的話。

「手裡有了錢，這孩子去了其他年輕人喜歡去的地方。在那兒他開始結交女友，他們約會，不久結婚。現在生活一片大好，因為現代的社會裡丈夫和妻子都工作，兩份收入真是天堂。他們覺得獲得了成功，前途光明，於是決定買房子、買車子、度假並且生孩子。這樣一來問題就來了：需要大量的錢。那對幸福的夫婦認定他們的職業是最重要的，並且開始更加努力地工作，尋求升遷和加薪。加薪實現了，而另一個孩子的出生使他們需要一個更大的房子，他們不得不更努力地工作。他們成為了模範雇員，甚至於可以說有為公司獻身的精神。他們又進了學校接受更多的培訓以便讓他們能賺更多的錢，也許他們做了兩份工作。他們的收入上升了，但同時對他們的收入徵的稅和對他們新房子徵的財產稅也上升了，他們的社會保障稅和其他稅也上升了。他們得到了大額的工資單但迷惑於錢都到哪兒去了。他們買了些基金，而且用信用卡買了些雜貨。孩子們長大了，為供他們上大學和為他們自己退休需要準備的錢也越來越多。

「這對快樂夫婦，在三十五歲後陷入了『老鼠賽跑』的陷阱。他們不停地為公司老闆工作，通過繳稅為政府工作，通過付房屋貸款和信用卡貸款為銀行工作，但等待他們的只是越來越多的債務和催款單，於是他們再加倍努力工作，再更多地獲取債務，陷於財務緊張的怪圈不能自拔。

「接著，他們建議他們的孩子努力學習，取得好成績，找個安全的工作或職業。而對於錢，除了從那些想利用他們，從他們的天真中獲得好處的人那兒學到點東西外，他們什麼也沒學。他們終生努力工作，然而隨後這個過程又將在他們的下一代中重複一遍，這就叫『老鼠賽跑』。」

跳出「老鼠賽跑」的唯一方法是證明你在會計、投資上是在行的，要知道，在這兩個困難的領域成為高手是一件多麼困難的事。令作為一名註冊會計師並一度在「八大」會計公司裡工作過的我非常驚訝的是，羅勃特的遊戲競賽使得這兩門課的學習變得如此有趣和令人興奮。遊戲中我們努力地想跳出「老鼠賽跑」，這個過程是被設計得如此之好，以致於我們很快就忘記了我們是在學習。

玩具測試是在一個有趣的下午進行的。我的女兒也參加了，我們談論著以前我們從未談論過的事。作為一名會計師，玩一個有收支平衡表和資產負債表的遊戲是很容易的，所以我有時間去幫我女兒和我們組的其他人，他們看起來並沒有這方面的概念。

那天我是第一個跳出「老鼠賽跑」的人，也是唯一實現了「最終夢想」，完成了整個遊戲的人。我在五十分鐘內走了出來，雖然整個遊戲測試進行了三個小時之久。在我的桌上有個銀行家，一個生意人，還有個編程員以及我的女兒。使我吃驚的是這些人對會計和投資知道得竟是如此之少，而這些知識在生活中又是如此重要。我不知道他們在現實生活中是如何管理他們的財務的，我十九歲的女兒不懂這些我可以理解，但那些是成年人，至少也有她年齡的兩倍。

在我走出了「老鼠賽跑」之後的兩個小時裡，我看著女兒和其他受過高等教育的成人繼續擲骰子移動他們的標記。雖然我為他們學到那麼多知識感到高興，但我還是震驚於那些成年人連會計和投資方面的基本知識都不曾具備，他們對收支平衡表和資產負債表間的因果關係知之甚少，當他們買賣資產時，總是難以記住每筆交易都會對他們的每月現金流量產生影響。由此我想，在現實世界中不知有多少人只是因為他們從未學習過這些知識而正在個人財務的泥淖中苦苦掙扎？

「感謝上帝他們只是在玩，並且只是被想贏得遊戲的願望所困擾。」我自言自語道。在羅勃特結束這個測試後，他給我們一些時間來討論和評價「現金流」這個遊戲。與我同桌的那位商人並不高興，他不喜歡這遊戲。「我完全不需要知道這些，」他大聲說，「我雇了會計、銀行經理和律師，他們會告訴我這些事。」

對此羅勃特回答：「你看到有許多並不富有的會計師以及銀行經理、律師、股票經紀人、房地產經紀人了嗎？他們懂很多，而且是最聰明的人，但他們大部分都不富有。正是因為我們自己不具備這些知識，我們才想要從這些專業人員那裡尋求建議。但是如果有一天，你在高速公路上開車，陷於交通阻塞，掙扎著要去上班，而你向右邊看時，發現你的會計師同樣陷在交通阻塞中，向左邊看又看見了你的銀行經理，這時你會怎麼想呢？他們自身難保，又怎能幫你？」

電腦編程員也對這個遊戲不感興趣。他說：「我可以買軟體來替我管理這些東西。」

但是那個銀行經理卻被打動了，「我以前在學校裡學過這些，但我從不知道應該如此把它運用在我的現實生活中。現在我知道了，我要使自己的生活也走出『老鼠賽跑』。」

我的女兒說這個遊戲深深地打動了她。「我學得很愉快，這似乎使我提前經歷了一次人生，我學了很多關於錢的運動規律和投資的知識。現在我知道我該如何去選擇一個我想去從事的職業而不是因為某個職業安全或有利可圖便去選擇它。我想我需要不斷地玩這個遊戲，並把它介紹給我的朋友們，如果我們學會了這遊戲所教的，我們將自由地去做和學我們真正內心想要的東西，而不是去學另外一些東西僅僅因為它是一些特定的工作所需要的技巧。如果我學會這些，我就不必再去擔心工作安定和社會保障，而這也是我大部分同學所關心的。」

由於大部分人因為遊戲而十分興奮，我沒能在遊戲結束後等到和羅勃特談話，但我們同意以後見面進一步討論他的專案。我知道他想用這個遊戲幫助別人懂得更多的經濟知識，而我也急於想知道他的計劃。

一星期過後，我丈夫和我為羅勃特和他妻子準備了一個晚餐聚會。雖然這是我們首次聚會，我們卻感覺像是已經認識了許多年。

我們發現我們有許多共同點。我們無所不談，從運動到烹調到社會經濟問題。還談到這個變化著的世界，我們還花了許多時間議論很多的美國人只有很少或幾乎沒有為退休攢下錢，以及幾乎破產的社會保障和醫療保障體系。我的孩子將來會被要求對七百五十萬人的退休金付一份錢嗎？我們不知道人們是否認識到依靠一個養老金計劃度過餘生是多麼的危險。

羅勃特主要關心的是在有為者和無為者之間日益加深的鴻溝。作為一個自學、白手起家的企業家，他周遊世界並廣泛投資，羅勃特在四十七歲時就主動退休了。他退休是由於他也有我對我孩子們的那種關心，當然他所關注的是更多的孩子。他知道世界在變，但教育卻並未隨之改變。就羅勃特來看，孩子們正花費幾年的時光在一個過時的教育體系中學一些他們永遠用不著的東西，並準備依靠這些東西去一個根本不存在的世界。

「今天，你所能給孩子最危險的建議就是：去學校，好好念書，然後找個安全的工作。這是舊的建議而且是壞的建議，如果你能看見在亞洲、歐洲、南美洲發生的事，你就會像我一樣擔憂。」

他確信這是個壞建議，「因為如果你想讓你的孩子得到一個經濟上安全的未來，他們就不能按舊的遊戲規則辦事，那和過於激進同樣危險。」

我問他什麼是「舊規則」？

「像我這樣的人在經濟生活中有一套與你們完全不同的遊戲規則，我來問妳，當一家公司宣佈縮編時會如何？」

「會解雇人，家庭會受傷害，失業會增加。」

「對。但對公司會發生什麼？尤其是對一個公開上市的股份公司？」

我想了想說：「當宣佈縮編時，上市公司股價通常會上升，市場喜歡這樣的消息，因為當公司裁員時，成本就下降了，這意味著公司透過自動化，提高了平均勞動生產率。」

「對，」他說：「而當股價上升時，像我這樣的人，即股東，就更富有了。這就是我說的一套不同的規則。雇員損失了，但所有者和投資者卻獲利了。」羅勃特不僅描述了雇員和雇主的區別，也說明了掌握自己的命運和把它讓給別人掌握的區別。

「這對許多人來說恐怕難以理解，」我說，「他們只是認為那不公平。」

「這就是為什麼對孩子說：『去得到好的教育』是不夠的。」他說，「假定學校體系的教育能使妳的孩子準備好了應付真實的生活，這種假定是愚蠢的。我並不是說美國現有的教育體系是完全不好的，但至少它是遠遠不夠的，在今天的世界，每個孩子都需要得到更多的教育，不同的教育，他們需要知道真實生活中的遊戲規則，各種不同的規則。」

「富人有他的那套規則，而富人的規則對絕大多數窮人和中產階級來說還是個秘密。其他占人口百分之九十五的人則有他們的規則，」羅勃特繼續說，「而這些人是從學校學到這些規則的。這就是今天為什麼簡單地對孩子說：『努力學習，找好工作』是危險的。孩子今天需要更複雜的教育，而現在的教育體系並不足以供應這些。我並不關心他們在教室裡安裝了多少台電腦或學校花了多少錢，但教育體系怎麼能夠教授連它自己都不知道的東西呢？」

那麼父母應該怎樣教孩子會計？這些連父母自己都覺得枯燥乏味的東西，孩子們不會煩嗎？而且當你自己就是一個風險的迴避者時又怎麼去教孩子投資呢？因此我們不能簡單地說教，而是要讓孩子們玩這遊戲，讓他們自己去體會，和他們一起學習和討論，我斷定這是最好的教育方法。

「那你怎麼教孩子關於錢和其他我們談論的有關的事呢？」我問羅勃特，「我們怎樣才能使這種教育對父母而言簡單化，尤其是對那些自己也不懂這些的父母？」

「我寫了一本這個題目的書。」他笑了笑，有些靦腆地說。

「在哪兒？」

「我的電腦裡，它已經斷斷續續在那兒幾年了。我不時地寫上點兒，但我還沒有把它們合成一體，我是在我的另一本書成為暢銷書後開始寫它的，但新的這本還未完成，只是片段。」

它的確只是片段，但在我後來讀了幾個分散的部分後，我斷定這本書有金子般的價值，也需要被人們所知悉，尤其是在這個時代，因此我們同意共同作為羅勃特的書的作者。我問羅勃特他希望教給孩子們多少經濟知識，他說這要取決於孩子。小時侯，他想富有而且他知道自己很幸運，有位父親式的有錢人願意教他。教育是成功的基礎，羅勃特說，正如學校裡教的某些技能非常重要一樣，經濟技能和交流技能也十分重要，甚至可以說更為重要。

後面就是羅勃特的兩個父親，富爸爸和窮爸爸，向他解釋而他也運用了一生的技能，兩個父親從觀念到結果的對立為我們提供了重要的對照。本書是由我協助編輯和組合的，對於任何讀本書的會計人員，我建議你扔開你在學校裡讀的書，打開心智面對羅勃特提供的理論。雖然許多理論挑戰了某些早已為一般人所接受的甚至作為原則的會計基礎，但它們提供了一種關於真正的投資者是如何分析並進行投資決策的新觀點。

當我們身為父母建議自己的孩子「去學校，好好學習，找好工作」時，我們常常只是出於文化的習慣而那麼做，因為人們總認為這些事是對的。但當我遇到羅勃特時，他的思想震撼了我。被兩個父親培養長大，他被告知要為兩個截然不同的目標奮鬥。他受過教育的父親建議他為企業而工作，他另一個富有的父親則建議他擁有自己的企業。兩種道路都需要教育，但教育的科目卻完全不同。他受過教育的父親鼓勵他成為聰明人，而他富有的父親則鼓勵他雇用聰明人。

兩個父親引來了許多問題。羅勃特真正的父親，也就是那個「窮爸爸」是夏威夷州教育系統的總督學，在羅勃特十六歲時，發自他真正父親的那種「如果成績不好就得不到好工作」的威脅對他而言幾乎已經失效了。他已經認定他的事業之路是擁有企業而不是為企業工作。實際上，若不是因為一個聰明而且堅持的高中指導老師，他可能連大學都不會去上。他承認這點。他急於開始建立自己的資產，但最終依然同意大學教育對他是有益的。

的確，本書中的思想對今天大多數的父母來說，也許實在難以理解也太激進了些，甚至有些父母正苦於無力讓他們的孩子在學校中待足夠的時間。但是想想我們這個充滿變化的時代，作為父母的我們應該對新的、大膽的思想開放。鼓勵孩子們成為雇員就是建議你的孩子在他的一生中繳納超過他們應付的份額的稅，而只得到很少且不確定的養老金。稅會成為一個人最大的支出也將是毫無疑問的，實際上，大多數家庭從一月到五月中旬的工作都是為政府做的。因此我們需要告訴孩子們新的思想，而本書提供的正是這種全新的思維方式。

羅勃特聲稱富人在以另一種不同的方式教育著他們的孩子，他們在家裡教孩子，在飯桌上。你也許不會選擇這種方式和你的孩子討論想法，但多謝你看到了那些方式而不是一味否定，而我也要建議你繼續探索。依我看來，作為一個媽媽和註冊會計師，僅僅學習好然後找個好工作的想法是陳舊的。我們需要新思想和不同的教育。也許告訴孩子們努力作個好雇員同時努力去擁有他們自己投資的企業會是一個更好的主意。

作為一個母親我希望本書能對其他的父母有所幫助。羅勃特想告訴人們的是，任何人都能做得很棒——如果他選擇那麼做的話。如果今天你是一個花匠或看門人甚至失業，你仍有自我教育和教你所愛的人關心他們自身經濟狀況的能力。要記住，經濟頭腦是在解決我們經濟問題的過程中鍛練出來的。

今天我們面臨著經濟全球化和新技術的變革，它如同人類從前曾經面臨過的一樣巨大，甚至更大。沒人有可以預測未來的水晶球，但有一件事是肯定的：超越我們當前生活的變化就在前面。誰知道未來什麼樣？但無論發生什麼，我們至少有兩個基本選擇：玩得安全，或通過周密準備、獲得教育並且喚醒你和你孩子們的經濟潛能而玩得高明。

如果你和我有過或有著同樣的煩惱，那麼這就是你所需要的。

序　言　這就是你所需要的　014
第一章　富爸爸，窮爸爸　019
第二章　第一課：富人不爲錢工作　029
第三章　第二課：爲什麼要教授財務知識　071
第四章　第三課：關注自己的事業　107
第五章　第四課：稅收的歷史和公司的力量　117
第六章　第五課：富人的投資　131
第七章　第六課：不要爲金錢而工作　161
第八章　克服困難　179
第九章　開始行動　203
第十章　還需要更多東西嗎？這裏有一些要做的事情　235
後　記　怎樣用七千美元支付孩子的大學費用呢？　243

課程

Chapter one

Rich Dad, Poor Dad

富爸爸，窮爸爸

第一章　富爸爸，窮爸爸

羅勃特・清崎　口述

我有兩個爸爸，一個富，一個窮。一個受過良好的教育，聰明絕頂，擁有博士的光環，他曾經在不到兩年的時間裡修完了四年制的大學本科學業，隨後又在史丹福大學、芝加哥大學和西北大學進一步深造，並且在所有這些學校都拿到了全額獎學金；與之相反的是，我的另一個爸爸連國中二年級都沒能念完。

應該說兩位爸爸的事業都相當成功，而且一輩子都很勤奮，因此，兩人都有著豐厚的收入。然而其中一個人終其一生都在個人財務問題的泥沼中掙扎，另一個人則成了夏威夷最富有的人之一。一個爸爸身後為教堂、慈善機構和家人留下數千萬美元的鉅額遺產，而另一個爸爸卻只留下一些待付的賬單。

其實我的兩個爸爸都是那種生性剛強、富有魅力、對他人有著非凡影響力的人。他們兩個人都曾給過我許多建議，但建議的內容卻總不相同；他們兩人也都深信教育的力量，但向我推薦的課程卻從不一樣。

如果只有一個爸爸，我就只能對他的建議簡單地加以接受或者拒絕；而兩個爸爸給我截然對立的建議，這在客觀上使我有了對比和選擇的機會。現在回想起來，實際上這是一種在富人的觀念和窮人的觀念之間進行的對比和選擇，而這種對比和選擇的結果決定了我的一生。

由於兩個父親的觀念對立，使我得不到統一的說法，我便無法簡單地對這些建議予以接受或拒絕，我發現自己有了更多的思考、比較和選擇。

也許會有人說：這完全沒有必要，你只要按照你富爸爸教你的去做，自然就會富有了，還選擇什麼呢？問題是，在給我建議的時候，富爸爸還不算富有，而窮爸爸當時也並不貧窮，兩人都剛剛開始他們的事業，都在為錢和家庭而奮鬥。然而，他們對於錢的理解卻是如此的迥然不同，這就好像一個爸爸會說：「貪財乃萬惡之源」；而另一個爸爸卻會說：「貧困才是萬惡之本」。

他們之中誰會成功？誰會富有？應該聽誰的？當時我還只是一個小男孩，對我而言擁有兩個同樣富有影響力的爸爸可不是一件容易應付的事。我想成為一個聽話的好孩子，但兩個爸爸卻說著完全不同的話，他們的觀點是如此相悖，尤其在涉及到金錢的問題上更是如此，這令我既好奇又迷惑，因而不得不花很多時間對他們的話進行思考。

我用了很多的時間，問自己諸如「他為什麼會那樣說」之類的問題，然後又對另一個爸爸的話提出同樣的疑問。如果不經過自己的思考就簡單地說：「噢，他是對的，我同意」，或是拒絕說：「這個老爸不知道自己在說些什麼」，我想那會容易得多。然而，這兩個我所愛而觀點不同的爸爸卻迫使我對每一個有分歧的問題進行思考，並在最後形成自己的想法。這一過程，也就是自己去思考和選取而非簡單地照單全收或全盤否定的過程，在後來的漫長歲月中被證明對我是非常有益的。

我逐漸意識到富人之所以越來越富，窮人之所以越來越窮，中產階級之所以總是在債務泥淖中掙扎，最主要的原因之一就是在於他們對金錢的觀念不是來自學校，而是來自家庭。我們絕大多數的人都是從父母那裡瞭解到錢是怎麼回事的。一對貧困的父母在培養孩子的理財觀念時，只會說：「在學校裡要好好學習喔。」結果，他們的孩子可能會以優異的成績畢業，但同時也秉承了貧窮父母的理財方式和思維觀念——要知道，由於家長的灌輸，這些觀念在孩子很小的時候就已經開始形成了。

據我所知，迄今為止，在美國的學校裡仍沒有真正開設有關「金錢」的基礎課程。學校教育只專注於學術知識和專業技能的教育和培養，卻忽視了理財技能的培訓。這也解釋了為何這麼多精明的銀行家、醫生和會計師們在學校時成績優異，但一輩子還是要為財務問題傷神；國家岌岌可危的債務問題在很大程度上也應歸因於那些作出財務決策的政治家和政府官員們，他們有些人雖然受過高等教育，但卻很少甚至幾乎沒有接受過財務方面的必要培訓。

我常常在想，當我們的社會有上百萬的人需要醫療救助時該怎麼辦？當然，家人和政府會救濟他們。可是，當醫療基金和社會保障基金用盡時又該怎麼辦？這並非是杞人憂天，如果我們繼續把教育子女理財的重任交給那些由於自身缺乏財務知識，正瀕於貧困邊緣或已陷入貧困境地的父母的話，很難想像僅靠家人和社會的救濟能夠根治他們的「窮」病，實現整個社會的富裕。

由於我有兩個對我有影響力且可以向其學習的爸爸，逼使我不得不去思考兩個爸爸的意見，因此，我認識到一個人的觀念對其一生的巨大影響力。例如，一個爸爸愛說「我可付不起」這樣的話，而另一個爸爸則禁止用這類話，他會說：「我怎樣才能付得起呢？」這兩句話，一個是陳述句，另一個是疑問句，一個讓你放棄，而另一個則促使你去想辦法。那很快就致富的爸爸解釋道，說「我付不起」這種話會阻止你去動腦筋想辦法；而問「怎樣才能付得起」則啟動了你的大腦。當然，這並不意味著人們必須去買每一件你想要的東西，這裡只是強調要不停地鍛練你的思維——事實上，人的大腦是世界上最棒的「電腦」。富爸爸時常說：「腦袋越用越活，腦袋越活，掙錢就越多。」在他看來，輕易就說「我負擔不起」這類的話，基本上就是一種精神上的懶惰。

雖然兩個爸爸工作都很努力，但我注意到，當遇到錢的問題時，一個爸爸總會去想辦法解決，而另一個爸爸則習慣於順其自然。長期下來，一個爸爸的理財能力更強了，而另一個的理財能力則越來越弱。我想這種結果類似於一個經常去健身房鍛練的人與一個總是坐在沙發上看電視的人在體質上的變化。經常性的體育鍛練可以強身健體，同樣地，經常性的頭腦運動可以增加你獲得財富的機會。懶惰必定會使你的體質變弱、財富減少。

就像我前面所說的，我的兩個爸爸存在著很多觀念上的差異。一個爸爸認為富人應該繳更多的稅去照顧那些比較不幸的人；另一個爸爸則說：「稅是懲勤獎懶」。一個爸爸說：「努力學習就能去好公司工作」；而另一個則會說：「努力學習就能發現將有能力收購好公司」。一個說：「我不富有是因為我有孩子」；另一個則說：「我必須富有是因為我有孩子」。一個禁止在晚飯桌上談論錢和生意，另一個則鼓勵在吃飯時談論這些話題。一個說：「掙錢的時候要小心，別去冒險」；另一個則說：「要學會如何管理風險」。一個相信「我們家的房子是我們最大的投資和資產」，另一個則相信「我們家的房子是負債，如果你的房子是你最大的投資，你就有麻煩了」。兩個爸爸都會準時付賬，但不同的是：一個在期初支付，另一個則在期末支付。

一個爸爸相信政府會關心你、滿足你的要求。他總是很關心加薪、退休政策、醫療補貼、病假、工薪假期以及其他額外津貼這類的事情。他兩個在軍中二十年後獲得退休和社會保障金的叔叔給他留下了深刻的印象。他很喜歡軍隊對退役人員發放醫療補貼和開辦福利的做法，也很喜歡通過大學教育繼而獲得穩定職業的人生程式。對他而言，勞動保護和職位補貼有時看來比職業本身更為重要。他經常說：「我辛辛苦苦為政府工作，我有權享受這些待遇。」

另一個爸爸則信奉完全的經濟自立，他反對這種「理所應當」的心理，並且認為正是這種心理造就了一批虛弱的、經濟上依賴他人的人。他提倡競爭。

一個爸爸努力存錢，另一個則不斷地投資。

一個爸爸教我怎樣去寫一份出色的簡歷以便找到一份好工作；另一個則教我寫下雄心勃勃的事業規劃和財務計劃，進而創造創業的機會。

作為兩個強有力的爸爸的塑造品，我有幸觀察到不同觀念是如何影響一個人的一生，我發現人們的確是在以他們的思想塑造他們的生活道路。

例如，窮爸爸總是說：「我從來不曾富有過」，於是這句話就變成了事實。富有的爸爸則總是把自己說成是一個富人。他拒絕某事時會這樣說：「我是一個富人，而富人從不這麼做」，甚至有一次十分嚴重的挫折讓他破產後，他仍然把自己當成是一個富人。他會這樣鼓勵自己說：「窮人和破產者之間的區別是：破產是暫時的，而貧窮是永久的。」

我的窮爸爸會說：「我對錢不感興趣」或「錢對我來說不重要」，富爸爸則會說：「金錢就是力量」。

儘管思想的力量並不能拿來被測量或評估，但當我還是一個小男孩時，我已經開始明確地關注我的思想以及我的自我表述了。我注意到窮爸爸之所以窮，其實並不在於他掙到的錢的多少（儘管這也很重要），而是在於他的想法和行動。我必須極其小心地選擇他們兩位向我傳遞的思想並為我自己所用。唉，我有兩個爸爸，我究竟應該聽誰的話呢？窮爸爸還是富爸爸？

兩個爸爸都很重視教育和學習，但兩人對於什麼才是重要的、應該學習些什麼的看法卻南轅北轍。一個爸爸希望我努力學習，獲得好成績，找個掙錢多的好工作，他希望我能夠成為一名教授、律師或會計師，或者去讀MBA。另一個爸爸則鼓勵我學習掙錢，去瞭解錢的運動規律並讓這種運動規律為我所用。「我不為錢工作，」這是他說了一遍又一遍的話，「錢要為我工作。」

在我九歲那年，我最後決定聽富爸爸的話並向他學習如何掙錢。同時，我決定不聽窮爸爸的，即使他擁有各種耀眼的大學學位。

羅勃特．佛羅斯特的教誨

羅勃特．佛羅斯特是我最喜歡的詩人，雖然我喜愛他的許多詩，但最喜歡的還是下面這首「未選之路」。每當我讀這首詩時，總能從中得到某些啟發：

未選之路

林中兩路分，可惜難兼行。遊子久佇立，極目望一徑。蜿蜒複曲折，隱於叢林中。
我選另一途，合理亦公正。草密人跡罕，正待人通行。足跡踏過處，兩路皆相同。
兩路林中伸，落葉無人蹤。我選一路走，深知路無窮。我疑從今後，能否轉回程。
數十年之後，談起常歎息。林中兩路分，一路人煙稀。我獨選此路，境遇乃相異。

——羅勃特．佛羅斯特（一九一六）

選擇不同，命運也是不同的。

這麼多年以來，我時常回味佛羅斯特的這首詩。的確，選擇不聽從受過高等教育的爸爸在錢上的建議和態度是一個痛苦的決定，但這個決定塑造了我的餘生。

一旦決定了聽從誰，我的關於金錢的教育就正式啟動了。富爸爸整整教了我三十年，直到我三十九歲時，他意識到愚笨的我已懂得並完全理解了他一直努力向我反覆講述的東西時，他才結束了對我長達三十年的教育。

錢是一種力量，但更有力量的是有關理財的教育。錢來了又去，但如果你瞭解錢是如何運轉的，你就有了駕馭它的力量，並開始積累財富。光說不練的原因是絕大部分人接受學校教育後卻沒有掌握錢真正的運轉規律，所以他們終其一生都在為錢而工作。

由於我開始金錢這門課的學習時只有九歲，因此富爸爸只教我一些簡單的東西。當他把所有想教給我的東西都說完做完時，總共也只有六門主要的課程，但這些課程在我的腦海中重複了三十多年。本書下面的內容就是關於這六門課的介紹，其形式簡單得就如同當年富爸爸教我時那樣。這些課程不是最終答案，而是一個嚮導，一個在這個不確定與快速變化的世界中幫助你和你的孩子積累財富的嚮導。

第二課　為什麼要教授財務知識
第三課　關注自己的事業
第四課　稅收的歷史和公司的力量
第五課　富人的投資
第六課　不要為金錢而工作

Chapter two

Lesson One
The Rich Don't Work For Money

第一課:
富人不為錢工作

第二章　第一課：富人不爲錢工作

怎樣才能變得富有？

「爸，你能告訴我怎樣才能變得富有嗎？」

爸爸放下手中的晚報問：「你為什麼想變得富有呢，兒子？」

「因為這個周末基米的媽媽會開一輛新的凱迪拉克帶他去海濱別墅度周末。基米還說要帶三個朋友去，但我和邁克沒有被邀請，他們說我們不被邀請是因為我們是窮孩子。」

「他們真這麼說了嗎？」爸爸不相信地問。

「是啊，他們是這樣說的！」我帶著一種受到傷害的聲調答道。

爸爸沉默地搖了搖頭，把他的眼鏡往鼻梁上推了推，然後又繼續看報紙去了。我站在那兒期待著答案……

那年是一九五六年，我九歲。由於命運的安排，我進了一所公立學校，許多富人把他們的孩子也送到那所學校。我們這個鎮，基本上是個糖料種植場，種植場的經理和其他富裕的人，比如醫生、商人、銀行家都把孩子送進了這所學校，一到六年級都有。六年級之後他們的孩子通常會被送進私立學校。因為我家就在這個街區，所以我也進了這所學校。如果我家住在街的另一邊，或許我會去另外一所學校，和那些家庭背景與我差不多的孩子們在一起了。並且六年級之後，我會和那些孩子一道去上公立的中學和高中，因為沒有為我們這類孩子設立的私立中學。

爸爸終於放下了報紙，我敢說他剛才一定是在思考我的話。

「哦，兒子，」他慢慢地開口了，「如果你想變得富有，你就必須學會掙錢。」

「那麼，要怎麼掙錢呢？」我問。

「用你的頭腦，兒子。」他說著，並微笑了一下，這種微笑意味著「這就是我要告訴你的全部」，或者「我不知道答案，別為難我了」。

建立合夥關係

第二天一早，我就把爸爸的話告訴了我最好的朋友邁克。邁克和我可以說是學校裡僅有的兩個窮孩子。他和我一樣由於命運的捉弄而進了這所學校。其實我們兩人的家裡並不是真的很窮，只是我們感覺我們很窮，因為其他的男孩都有新的棒球手套、新的自行車，他們的東西都是新的。

媽媽和爸爸也為我們提供了基本生活品，像吃的、戴的、穿的，什麼都不缺，但也僅此而已。爸爸常說：「想要什麼東西，自己掙錢去買。」我們想要東西，但的確沒有什麼工作可以提供給像我們這樣大的九歲男孩。

「我們該怎麼掙錢呢？」邁克問。

「我不知道，」我說，「你想做我的合夥人嗎？」

於是，就在那個星期六的早晨，邁克成了我的第一個事業夥伴。我們花了整整一個上午時間去想掙錢的法子，其間常常不由自主地談起那些「冷酷的傢伙」正在基米家的海濱別墅裡玩樂。這實在有些傷人，但卻是好事，它刺激我們繼續努力去想掙錢的法子。最後，到了下午，一個念頭在我們的頭腦中閃過，這是邁克從以前讀過的一本科普書裡得到的主意。我們興奮地握手，現在我們的合夥關係終於有了實質的業務內容。

在接下來的幾星期裡，邁克和我跑遍了鄰近各家，敲開他們的門問他們是否願意把用過的牙膏皮攢下來給我們。迷惑不解的大人們微笑著答應了，有的問我們要它做什麼，對此我們回答道：「這是商業秘密。」

幾星期過去了，我媽變得心煩起來，因為我們選了一個靠近她洗衣機的地方放置我們的原料。在一個曾用來盛番茄醬的大罐子裡，積攢在那兒的用過的牙膏皮正在慢慢變多。

看到鄰居們髒亂、捲曲的廢牙膏皮都到了她這兒，媽媽最後採取了行動。「你們兩個到底想要幹什麼？」她問，「我不想再聽到『商業秘密』之類的話，趕快處理掉這些髒東西，否則我就會把它們全扔出去！」

邁克和我苦苦哀求，說我們已經快攢夠了，只等一對鄰居夫婦用完他們的牙膏後，我們就可以馬上開始生產了。經過一番口舌，最後媽媽給了我們一周的延期。

來自媽媽的壓力使我們的生產日期提前了。我的第一樁生意，由於貨倉收到了媽媽的逐客令而出現危機，邁克的任務變成了告訴鄰居們快些用完他們的牙膏，告訴他們牙醫希望他們要比平常更加勤快些刷牙，我則開始組裝生產線。按照時間表，生產將於一星期後正式開始。開始生產的日子終於到了。爸爸帶著一個朋友驅車而至，來看兩個九歲男孩在公路邊合力操弄一條生產線。空氣中飛揚著的是細細的白色粉末，在一個長桌上是一些從學校拿來的廢牛奶紙盒以及家裡的燒烤架，燒烤架已經被發紅的炭烤到了極熱，發著白光。

爸爸小心地走過來，由於生產線擋住了車位他不得不把車停在路邊。當他和他朋友走近時，他們看見一個鋼壺架在炭上，裡面的廢牙膏皮正在熔化。在那個時候，牙膏皮還不是塑膠做的，而是鉛製的。所以一旦牙膏皮上的塗料被燒掉後，被放在鋼壺中的鉛皮就會燒熔，直到變成液體。當鉛皮到達熔點時，我們就用媽媽的抓鍋布墊著，將溶液從牛奶盒頂的小孔中小心地注入到牛奶盒中。

牛奶盒裡裝滿了熟石膏，滿地的白色粉末是我們將灰和水混和時弄的，由於我一時匆忙，打翻了小包，所以弄得到處是白灰，好似下了一場雪。牛奶盒就是石灰模的外部容器。爸爸和他的朋友注視著我們小心翼翼地把熔鉛注入到灰管頂部的小孔中。

「小心！」老爸說。

我也顧不得抬頭了，只是點點頭。

最後，當溶液全部倒入石灰模後，我放下鋼壺，向老爸綻開了笑臉。

「你們在幹什麼？」他帶著謹慎的微笑問道。

「我們正在按你告訴我的話做，我們就要變成富人了！」我說。

「是的，」邁克咧嘴笑著點頭說道：「我們是合夥人。」

「這些灰模子裡面是什麼東西？」老爸有些好奇地問。

「看，」我說，「這是已經鑄好的一爐。」我用一個小錘子敲開了密封物並把管子分成兩半，我小心地抽掉灰模的上半部，一個鉛製的五分硬幣便掉了下來。

「噢，天啊，」老爸叫了起來，用手摸著額頭：「你們在用鉛製造硬幣啊！」

「對啊，」邁克說，「我們照你說的，在自己掙錢啊。」

爸爸的朋友忍不住轉過身爆出一陣大笑，爸爸則微笑地猛搖頭。在一堆火和一堆廢牙膏皮旁，他面前兩個白灰滿面的小男孩則正在開心地笑著。

爸爸要我們放下手裡的東西和他坐到屋外的臺階上，然後他微笑和藹地向我們解釋了「創造」一詞的含義。

我們的夢想破滅了！「你的意思是說這麼做是違法的？」邁克用顫抖的聲音問。

「別怪他們，」我爸爸的朋友說，「他們也許有天會成為天才呢。」

我爸爸瞪了他一眼。

「對，這是違法的。」爸爸溫和地說，「但是，孩子們，別灰心，我為你們剛才表現出來的巨大創造性和獨立思考精神而感到驕傲。」

失望之餘，邁克和我在沉默中坐了二十分鐘才開始收拾殘局。我們的生意在剛開始的第一天就結束了。把粉掃攏時，我望著邁克沮喪地說：「我想基米和他的朋友們是對的，我們只能當窮人了。」

爸爸正要離開時聽到了這話，「孩子，」他轉過身來說，「如果你們放棄了，你們才真的只能當窮人了。一件事情的成敗並不重要，重要的是你們曾經嘗試過。要知道大多數人只是光會談論和夢想發財，而你們已經付出了行動。我再說一遍，我為你們驕傲，孩子們，別灰心，別放棄。」

邁克和我沉默地站在那兒，話是挺對的，但我們仍不知應該幹些什麼。

「那你為什麼不富有呢，爸爸？」我問。

「因為我選擇了當中學老師。中學老師要專心教書，不該去想怎麼發財。我希望我能幫你們，但我真的不知道如何才能賺大錢。」

邁克和我又回去繼續清理現場。

爸接著說：「如果你們希望瞭解如何致富，不要問我，去和你爸談談，邁克。」

「我爸？」邁克皺著眉頭。

「對，你爸爸。」爸爸微笑著說，「你爸爸和我都認識的一個銀行經理，他對你爸爸非常崇拜。他有好幾次對我提過說你爸爸在賺錢方面是個天才。」

「我爸？」邁克難以置信地問，「那我家為什麼沒有好車和好房子，就像學校裡的那些有錢的孩子一樣呢？」

「高級車和高檔房子並不必然意味著你很富有或你懂得如何賺錢，」爸爸答道，「基米的爸爸為糖料種植園工作，他和我並沒有多大差別，他為公司工作而我為政府工作，是公司為他買了那輛車。但據說種植園正處於財務困境之中，基米的爸爸可能過不了多久就什麼都沒有了。而你爸爸則不同，邁克，他似乎正在建立一個屬於自己的帝國。我相信幾年之內他就會成為一個非常富有的人。」

聽到這番話，我和邁克又興奮起來了。帶著新的希望，我們迅速清理了首次失敗的生意所造成的混亂。我們還一邊清理一邊計劃了一個與邁克爸爸談話的內容，例如該怎樣談，何時談。問題在於邁克的爸爸工作時間很長，並且經常很晚才回家。他爸爸有一個貨倉，一個建築公司，一些店鋪和三個餐館。而正是這些餐館使他經常必須在外面要待到很晚。

清理完畢後邁克搭上了回家的公共汽車，他會在他爸爸晚上回家後和他談談，並問他是否願意教我們如何賺錢。邁克答應和他爸爸談完後無論多晚都給我回電話。

晚上八點半時電話響了。

「下周六，太好了！」邁克的爸爸同意與我們見面。

課程開始了

「我每小時付給你十美分。」

即使以一九五六年的報酬標準看，十美分一小時也是非常低的。

邁克和我在那天上午八點和他爸爸碰面了。他仍然很忙，而且在見面前已經工作了一個多小時了。他的建築監理人剛坐著他的卡車離開，我就進到他那窄小而簡樸整潔的家，邁克站在門口迎接我。

「我爸正在打電話，他叫我們在走廊後面等著。」邁克邊說邊開門。

當我舉步跨過這座老房子的門檻時，舊木地板發出「嘎嘎」的響聲。門內地板上有個廉價的墊子，這個墊子的磨損程度記錄了經年累月無數次踏上這個地板的腳步，雖然很乾淨，但還是該換了。

當我進入到狹小的臥室時，無由地感到有些害怕，這間臥室裡塞滿了陳舊發黴而厚重的家具，它們早該成為收藏者的藏品了。在沙發上坐著兩個女人，她們的歲數比我媽大一些，她們的後面還坐著一個穿著工作服的男人。他穿著卡其布的襯衫和外套，衣服燙得很平整，但沒有漿過，他手上拿著磨得發光的工作簿。他比我爸爸大概大十來歲的樣子，約莫有四十五歲吧。當我和邁克走過他們身邊時，他們衝著我們微笑著，我們朝廚房走去，穿過廚房就可以直通後院。我也有點靦腆地對他們笑笑。

「他們是什麼人？」我問邁克。

「噢，他們是替我爸幹活的。那個老一點的男人負責管理貨倉，那兩個女人是餐館經理。剛才在門口你也看到建築監理人了，他在離這兒五十英里遠的一個公路專案中工作。還有一些監理正在負責房屋建設的專案，不過他們在你到這裡之前就已經走了。」

「每天都是這樣的嗎？」我問。

「沒有，但經常是這樣的。」邁克說著的同時，拉了一張椅子坐在我身邊，「我問過他願不願意教我們掙錢。」

「哦，那他怎麼說？」我急切地問。

「嗯，開始時他臉上有一種取笑的表情，然後他說會給我們一個建議。」

「噢！」我說著，用兩個椅子後腿撐著，把椅子靠著牆蹺起來。

邁克也學我這麼做。

「會是什麼建議呢？」我又問。

「不知道，但很快就會知道了。」邁克說。

突然，邁克的爸爸推開那扇搖搖晃晃的門走進了門廊，邁克和我本能地跳了起來，不是出於尊敬，而是因為嚇了一跳。

「準備好了嗎，孩子們？」邁克的爸爸問道，隨手拖了把椅子坐到我們旁邊。

我們點著頭，把椅子移到他面前坐下。

他也是個大塊頭的男人，大約有六英尺高，兩百磅重。我爸的個子要更高些，但和他差不多重。我爸比邁克的爸爸大五歲，他們看上去很像同一類人，但氣質有些不同，也許他們的力氣都很大，我在想。

「邁克說你們想學賺錢，對嗎，羅勃特？」

我快速點點頭，心裡有點忐忑，在他的微笑和話語後面似乎隱藏著一股很強的力量。

「好，這就是我的建議：由我來教你們賺錢，但我不會像在教室裡教學生那樣教你們，你們得為我工作，否則我就不教。因為通過工作我可以更快地教會你們，如果你們只想坐著聽講，就像在學校裡那樣的話，那我就是在浪費時間了。怎麼樣？小伙子們，這就是我的建議，你們可以接受也可以拒絕。」

「嗯……我可以先問個問題嗎？」我問。

「不能，你只能告訴我是接受還是拒絕。因為我有太多的事要做，不能浪費時間。如果你不能下定決心，就永遠也學不會如何賺錢。要知道，機會總是轉瞬即逝，要想成功就必須迅速作出決定。你看，現在你有一個你想要的機會，但這個賺錢學校可以在十秒鐘內開學或者關門，那麼你……。」邁克的爸爸微笑著看著我們，卻並沒有說下去。

「接受。」我說。

「接受。」邁克也說。

「好！」邁克的爸爸說道，「馬丁夫人會在幾分鐘內到達。等我和她處理完事後，你們就跟她去我的雜貨店，然後就可以在那兒開始工作了。我每小時付給你們十美分，你們每周六來工作三個小時。」

「但我今天有一場棒球比賽！」我說。

邁克的爸爸降低聲調嚴厲地說：「接受或者拒絕。」

「我接受。」我趕忙回答，我決定工作和學習而不去打棒球了。

三十美分以後

從一個美好的星期六早上九點起，邁克和我正式開始替馬丁夫人幹活了。馬丁夫人是一個慈祥而有耐心的女人，她總是說邁克和我使她想起她的兩個兒子，她的兩個兒子長大後就離開了她。馬丁夫人雖然很慈祥，卻強調人應該努力工作，她讓我們不停地幹活。她是一個很好的監工，三個小時裡，我們不停地把罐裝食品從架子上拿下來，用羽毛撣撣去每個罐頭上的灰塵，然後再把它們重新放好。這工作真的很乏味。

邁克的爸爸，就是我稱為「富爸爸」的那一位，擁有九個這樣的小型超市，它們是「7～11」便利商店的早期版本，當時除了這些小型超市外，附近幾乎沒有可以買到牛奶、麵包、黃油和香煙的雜貨店，所以生意還不錯。問題是，這是在空調出現之前的夏威夷，由於炎熱，商店不可能關上門，而店的兩邊有許多停車位，每當一輛車開過或駛進車位，灰塵就漫天揚起飄入店內。

於是，在還沒有空調的時代，我們就有事可幹了。

此後的三個星期中，每周六邁克和我都會準時向馬丁夫人報到並在她那兒工作三個小時。中午以前，我們的工作就結束了，她就在我們每人的手中放下三個小銅板兒。即使是在五〇年代中期，對一個九歲的男孩來說，三十美分實在並不十分令人激動，因為就算買一本漫畫書也得花上十美分呢。

第四個星期的星期三，我準備退出了。我答應工作是因為我想從邁克爸爸那裡學會賺錢，而現在我卻成了每小時十美分的奴隸。更糟糕的是，自從第一個星期六後，我就再也沒見到過我們的賺錢老師——邁克的爸爸了。

「我要退出。」吃午飯的時候我對邁克這樣說。學校的午飯糟透了，上課也沒勁，而且我現在幾乎一點也不盼著要星期六了。因為對我而言，現在的星期六換來的僅僅是每周的三十美分。

邁克得意地笑了。

「你笑什麼？」我沮喪而氣惱地問。

「我爸說早料到了，他說如果你不想幹了就讓我帶你去見他。」

「什麼？」我感覺到受了愚弄，氣憤地問，「他早就在等我去找他？」

「我爸是個不一樣的人，他跟你爸的教育方法不一樣。你的爸媽說得多，我爸爸說得少，不過他早就猜到了你會這麼說的。你要等到這個星期六，我會告訴他你已經準備好了。」

「你是說我被設計了？」

「還不確定，但有可能。我爸會在星期六說明的。」

星期六的排隊等候

我已經準備好要面對邁克的爸爸說個明白，連我的親爸爸也生氣了。我的親爸爸，就是我前面說的較窮的那個，他認為我的富爸爸違反了童工法，應該受到調查。

我那受過高等教育的爸爸要我去爭取應有的待遇，每小時至少二十五美分。爸爸說如果我爭取不到加薪，就應該立即退出。

爸爸氣憤地說：「你根本不需要那份該死的工作。」

星期六早上八點，我又穿過了邁克家那扇搖晃著的大門。

「坐下等著。」邁克的爸爸在我進門時說，說完便轉身消失在臥室邊的小辦公室裡。

我四下看看，沒發現邁克，我覺得有些侷促，小心地坐到了沙發上，四個星期前見過的那兩個女人笑著為我挪出了一點地方。

四十五分鐘過去了，我開始冒火，那兩個女人已經在三十分鐘前會見完畢離開了。那個老紳士在待了二十分鐘後，也辦完事走了。

一個小時過去了，那天夏威夷陽光燦爛，外邊不時傳來大人、孩子嬉戲的笑聲，而我卻仍在那幢陳舊黑暗的屋子裡坐著，等候一個剝削童工的小商人的召見。我能聽見他在辦公室裡沙沙地走動、打電話，但就是不理我。我真的想出去了，但不知為什麼我沒有走。

又過了十五分鐘，正好九點，富爸爸終於走出了他的辦公室。他什麼也沒說，用手示意要我跟著他去那間小辦公室。

「你要求加薪，否則你就不幹了，是嗎？」他邊說邊在椅子上搖來搖去。

「你不講信用！」我脫口而出，眼淚差點掉下來。這樣的事對一個九歲的小男孩來說是覺得挺委屈的。「你說過如果我為你工作，你就會教我。好，我為你幹活，我工作努力，我甚至放棄了棒球比賽來為你工作，而你卻說話不算數，你什麼也沒教我！就像鎮上每個人說的那樣，你言而無信，還貪心。你想要所有的錢卻絲毫不關心你的雇員。此外，你一點兒也不尊重我，讓我等這麼久。我只是一個小孩，我應該得到優待才對！」。

富爸爸在搖椅裡往後一靠，手摸著下巴盯著我，好像在研究我似的。

「不錯，」他說，「還不到一個月，你已經有點像我的其他雇員了。」

「什麼？」我問。我並未聽懂他的話，心裡更加氣憤不已。「我想你會如約教我，然而你卻想折磨我？這太殘忍了，真的太殘忍了！」

「我正在教你。」富爸爸平靜地說。

「你教我什麼了，什麼也沒有！」我生氣極了，「自從我為那幾個小錢幹活以來，你甚至沒和我說過話！十美分一小時！哈，我應該到政府那兒告你的！你知道，我們有『童工法』，我爸可是為政府工作的。」

「哇！」富爸爸叫道，「現在你看上去就像大多數替我幹過活的人了，他們最後不是被解雇就是辭職不幹了。」

「這正是我想要做的！」我說道。作為一個小孩，我覺得自己很有勇氣。「你騙了我，我為你工作，而你卻不守信用，你什麼也沒教我。」

「你怎麼知道我什麼都沒教你？」富爸爸仍然平靜地問我。

「你從不和我說話，我替你工作了三個星期，而你什麼也沒教給我。」我噘著嘴說。

「教東西一定要用說的或講的嗎？」富爸爸問。

「是呀。」我回答道。

「那是學校教你們的法子，」他笑著說，「但生活可不是這樣的教法。你知道嗎，生活才是最好的老師，大多數時候，生活並不對你說些什麼，它只是推著你轉，每一次推，它都像是在說『喂，醒一醒，有些東西我想讓你學學』。」

「這個人在說些什麼啊？」我暗自問自己。「生活推著我轉就是生活在對我說話？」現在我知道我必須辭職了，我正在和一個應該被關進精神病院的傢伙說話。

但富爸爸仍在說：「假如你弄懂了生活這門大課，做任何事情你都會游刃有餘。但就算你學不會，生活照樣會推著你轉。所以生活中，人們通常會做兩件事，一些人在生活推著他轉的同時，抓住生活賜予的每個機會；而另一些人則聽任生活的擺佈，不去與生活抗爭。他們埋怨生活的不公平，因此就去討厭老闆，討厭工作，討厭家人，他們不知道生活也賜予了他們機會。」

當時我還是不太明白富爸爸的話。

「生活推著我們所有的人，有些人放棄了，有些人在抗爭。學會了這一課的少數人會進步，他們歡迎生活來積極地推動他們，對他們來說，這種推動，意味著他們又可以去學習一些新的東西，然後再進步。當然，大多數人還是放棄了，一部分人像你一樣還在抗爭。」

富爸爸站起來，推開那扇破舊失修的窗子，「如果你學會了這一課，你就會成為一個智慧、快樂而富有的人。如果你沒有學會，你就只會終生抱怨工作、抱怨低報酬和難以相處的老闆，你會生活在一勞永逸地把所有錢的問題都解決了的幻想中。」

富爸爸抬眼看我是否在聽。他的眼光與我相遇，我們互相對視著，透過眼睛互相交流，最後，當我接收了他全部資訊後，我將眼睛轉開了。我知道他是對的，我需要向他學習。

富爸爸繼續說：「如果你是那種沒有毅力的人，你將放棄生活對你的每一次推動。這樣的話，你的一生會過得穩穩當當，不做錯事、隨時準備著當永遠不會發生的事情發生時解救自己，然後，在無聊中老死。你會有許多像你一樣的朋友，希望生活穩定、處世無誤。但事實是，你對生活屈服了，不敢承擔風險。你的確想贏，但失去的恐懼超過了成功的興奮，事實是從內心深處，你就始終認為你不可能贏，所以你選擇了穩定。」

我們的眼光又相遇了。十秒鐘之久，我們互相注視著，直到相互明白了對方的心意。

「你一直想推動我嗎？」我問。

「可以這樣說，但我寧願說我是在讓你品嘗生活的滋味。」富爸爸笑道。

「什麼是生活的滋味？」我問，雖然怒氣未消，但充滿好奇，甚至準備聆聽教誨了。

「你們倆是第一個請求我教授如何賺錢的人，我有一百五十多個雇員，但沒有一個人請教過我這個問題。他們只是要求工作，並獲得報酬。他們把一生中最好的歲月用來為錢而工作，卻不願去弄明白工作到底是為了什麼。」

我坐在那兒專心地聽著。

「所以當邁克告訴我你們想賺錢時，我決定設計一個和真實生活相近的課程。雖然我也可以說得精疲力盡，但你們會左耳進，右耳出，所以我決定讓生活為你們示範一下，這樣你們就會聽懂我想說的話了，這也就是為什麼我每小時只給你們十美分的用意。」

「那麼十美分一小時的工作又有什麼教益呢？」我問，「是說工人很便宜，可以去剝削他們嗎？」

富爸爸向後靠去並開心地笑了起來，隨後便說：「你最好改變一下觀點，停止責備我，你是不是以為我有毛病。如果你認為我有病，你得想辦法改變我；如果你認為問題在你那兒，你就得去學習，然後改變自己，讓自己變得更聰明。大多數人認為世界上除了自己外，其他人都應該改變。讓我告訴你吧，改變自己比改變他人更容易。」

「我不明白。」我說。

「別拿你的毛病來責備我。」富爸爸說，他開始有些不耐煩了。

「可是你每小時只給我十美分啊！」

「那麼你學到了什麼？」他笑著問。

「我很便宜。」我不好意思地笑著說。

「瞧，你還是覺得問題在我這兒呢。」富爸爸說。

「但的確是這樣呀。」

「好吧，如果你繼續保持這種態度，你就什麼也學不到。反過來說，如果問題的確在我，你該怎麼辦？」

「嗯，請你提高我的工資，對我更尊重些，並教我如何賺錢。」

「噢，是嗎？」富爸爸說，「大部分人會這麼幹，他們辭職，然後去找另一份工作，期望能得到更好的機會、更高的報酬，認為一份新的工作或更高的報酬會解決所有問題。而在大多數情況下，這是不可能的。」

「那我該怎麼辦呢？」我問，「接受這可憐兮兮的每小時十美分然後還要微笑嗎？」

富爸爸笑了。「有些人會這麼做的，僅僅因為他們和他們的家庭需要錢而接受這份工資，但他們所做的只是等待，等待著能有機會讓他們掙到更多的錢使問題解決。於是大部分人接受了，有些人做兩份工作並且非常努力地工作，但仍只能得到很少的報酬。」

我坐在那裡，眼睛盯著地板，開始聽懂富爸爸的這一課。我感到這的確是生活的原味。最後，我抬起頭，又重複了前面的問題：「那麼，怎樣才能解決問題呢？」

「用這個，」他說著輕輕地拍著我的腦袋，「你兩個耳朵之間的這個傢伙。」

直到那一刻富爸爸才顯示了他區別於他的職員和我窮爸爸的關鍵的東西——這一點讓他

最後成了全夏威夷最富有的人之一。而我那受過良好教育的爸爸則一生都在與財務問題抗爭。富爸爸獨特的觀念使他的一生都與眾不同。

富爸爸後來一遍又一遍不厭其煩地講到這個觀點，這就是我稱之為「第一課」的內容。

窮人和中產階級為錢而工作，富人讓錢為他們工作

在那個明媚的星期六上午，我接受了與窮爸爸教我的完全不同的一種學習方式。就在那一刻，我意識到兩位爸爸都希望我去學習，鼓勵我去研究，但研究的內容不同。

我那受過高等教育的爸爸建議我照他的模式去做。「兒子，我希望你努力學習，得到好成績，這樣你就能在大公司裡找到一份穩定的工作，而且會收入不低。」富爸爸卻希望我去研究錢的運動規律，好讓錢為我所用。在他的指導下，我會在生活中而不是在教室裡學習到這些課程。

富爸爸繼續著我的第一課：「我很高興你為每小時十美分而生氣，如果你不生氣而是高興地接受了它，那我只能告訴你我沒法教你。真正的學習需要精力、激情和熱切的願望。憤怒是其中一個重要的成分，因為激情正是憤怒和熱愛的結合物。說到錢，大多數人都希望穩穩當當地掙到，他們很少有掙錢的激情，於是，只好有沒錢的恐懼。」

「這就是他們接受低工資工作的原因嘍？」我問。

「是呀，」富爸爸說，「因為我比種植園和政府付給員工的少，有人說我剝削人，我說

是他們自己剝削自己，而不是我。」

「但你不覺得該多給他們一點兒嗎？」我問。

「沒有這必要。而且，即使多一點的錢也不能解決問題。比如你父親，掙得的錢也不少，但仍會欠賬。對大多數人而言，給的錢越多，他欠的債也就越多。」

「這就是一小時十美分的原因，」我笑了，「課程的第一部分。」

「沒錯。」富爸爸也笑了，「你瞧，你爸進了大學而且受到很好的教育，所以他能得到一份高薪的工作。他的確也得到了，但他還是為錢所困，原因就是他在學校裡從來沒學過關於錢的知識。而且最大的問題是，他相信工作就是為了錢。」

「你不這麼認為嗎？」我問。

「當然不是，」他說，「如果你想為錢而工作，那就呆在學校裡學吧，那是一個學習這種事的好地方。但如果你想學怎樣讓錢為你所用，那就讓我來教你。不過首先你得想學。」

「難道不是每個人都想學嗎？」我問。

「不是，」他說，「因為學習為錢工作很容易，特別是當你談到錢時的第一感覺是恐懼時，學習為錢工作就更容易了。但是學習怎樣讓錢為你工作卻要難得多。」

「我不明白。」我皺著眉頭。

「別擔心，你只須知道，正是出於恐懼心，人們大多害怕失去工作，害怕付不起賬單，害怕遭到火災，害怕沒有足夠的錢，害怕挨餓，大多數人都期望得到一份穩定的工作。為了尋求穩定，他們會去學習某種專業，或做生意，拚命為錢而工作，大多數人成了錢的奴隸後，就把怒氣對準他們的老闆。」

「學習讓錢為我所用是一種完全不同的課程嗎？」我問。

「是的，」他重複道，「絕對不同。」

在這個美麗的夏威夷的早晨，我們靜靜地坐著。我的朋友們應該已經開始他們新一季的棒球聯賽了，但不知為什麼，我現在開始慶幸決定做這一小時十美分的工作了，我覺得我學到了我的朋友們在學校裡所學不到的一些東西。

「準備好了嗎？」富爸爸問。

「是的。」我咧嘴笑了。

「我可是遵守諾言了，我已經帶你看到了你的未來。」富爸爸說，「九歲時，你已經有了為錢而工作的體驗。只須把上個月重複五十年，你就知道大多數人是如何度過一生的了。」

「我不明白。」我說。

「你兩次等著見我時有何感覺？一次是被雇用，一次是要求加薪。」

「真可怕。」我說。

「如果選擇為錢而工作，這就是許多人所過的生活。」

「那麼每次三小時工作結束，馬丁太太給你三個硬幣時，你又有什麼感覺？」

「我覺得不夠。看上去就像什麼也沒給似的，真讓人失望。」

「這也正是大多數雇員拿到他們工資單時的感覺，此外還要扣掉稅和其他一些有的沒有的。至少，你拿到的還是百分之百的工資。」

「你是說工人們拿到的不是全部工資產？」我吃驚地問。

「當然不是，政府要先拿走一份，這就是稅。」富爸爸說，「你有收入時得繳稅，當你消費時也得繳稅。你存錢時得繳稅，你死時還得繳稅。」

「政府怎麼能這樣？」

富爸爸坐在那兒沉默不語，我猜想他希望我認真地聽而不是插嘴胡說。

於是我安靜了下來。說真的，我不喜歡聽到關於稅的事。我知道爸爸總是抱怨稅收太高了，但也沒辦法。生活是否也推過他？

富爸爸在椅子裡緩緩搖著，眼睛看著我。

「真的準備好跟我學習了嗎？」他問。

我慢慢點點頭。

「我得說，這裡頭有不少東西要學。學習怎樣讓錢為你所用將是一個漫長的、不斷學習的過程，或許會持續一生。大多數人上了四年大學後，教育也就到盡頭了，可是我知道我會一輩子去研究錢這東西，因為我研究得越深，知道的東西也就越多。大多數人從不研究這個題目，他們去上班，掙工資，然後去開銷，總也不明白為何老是被錢所困擾，於是以為多點錢就能解決問題，卻幾乎沒有人意識到缺乏財務知識才是他們真正的問題所在。」

「那我爸總是頭疼稅的問題也是因為他沒有財務方面的知識嗎？」我疑惑地問。

「稅只是如何讓錢為你所用的一個極小的部分。今天，我只是想弄清你是否有熱情去瞭解錢這東西。大多數人都沒有這樣的願望，他們只想進學校，學點專業技能，輕鬆工作並且掙大錢。當他們某一天醒來面臨嚴重的財務問題時，他們已不能停止工作。這就是只知道為錢工作而不知如何讓錢為你工作的代價。你有熱情學習嗎？」

我點了點頭。

「好，」他說，「現在回去幹活，這次我什麼報酬也不給。」

「什麼？」我大吃一驚。

「聽著。什麼也不給。你每周六同樣幹三個小時，但這次不會再有每小時的十美分了。你不是說你想學不為錢而工作嗎？所以我什麼也不給你。」

我幾乎不敢相信我的耳朵。

「我已經和邁克談過了，他已經開始免費幹活了，撣乾淨罐頭上的灰塵再把它們重新擺好。你最好快點回去和他一塊兒幹活。」

「這不公平，」我說，「你總得給點什麼呀。」

「你說過你想學習。如果你現在不學，將來長大了就會像坐在會客室裡的那兩個女人和老頭一樣，為錢工作並且希望我不要解雇他們。或是像你爸那樣，掙很多錢卻眼看著債臺高築，希望靠更多的錢來解決問題。如果你想這樣，我可以每小時付你十美分，你可以像其他大人那樣，抱怨這裡工資太低，辭職另找工作。」

「我還是不明白？」我問。

富爸爸又拍了拍我的頭，「動動腦子，」他說，「如果你好好想一想，你會感謝我給了你一個機會，讓你成為有錢人。」

我站在那兒，依舊不相信我達成的新協定。我是來要求增加工資的，而現在卻被告知以後得白幹活了。

富爸爸又一次拍著我的頭說：「慢慢想去吧，現在出去開始工作。」

第一課：富人不為錢工作

我沒對爸爸說我沒工錢了，他不會理解的，而且我也不想對他解釋我自己也還弄不明白的事。

接下來的三個星期，我和邁克每周六白做三小時。這工作不再讓我心煩，過程也容易些了。只是無法參加球賽以及不能再買漫畫書讓我耿耿於懷。

富爸爸在第三個星期的周末中午來了。我們聽見他的卡車停進了車位後引擎熄火的聲音，他走進小店並和馬丁太太擁抱致意。在視察了店面的運營情況後，他走向霜淇淋櫃，取出兩個霜淇淋，付了錢，然後對我和邁克打了個手勢說：「孩子們，我們出去走走。」

閃開來往的汽車，我們穿過街道，又走過一大片草地，草地上有許多大人正在打壘球。最後我們坐到一張草地遠處的野餐桌前，富爸爸把霜淇淋遞給我和邁克。

「還好嗎？」他問。

「挺好的。」邁克說。

我也點頭同意。

「那學到了什麼沒有？」

邁克和我面面相覷，一起聳聳肩搖了搖頭。

避開人一生中最大的陷阱

「你們正在學習一生中最重要的一課，你們應該學會思考。」富爸爸說道，「如果你學會了這一課，你將一生享受自由和安寧；如果沒有學好這一課，你們就會像馬丁太太和其他在這空地玩壘球的人一樣了此一生。他們為一點點錢而勤奮工作，兼有一種有工作的虛幻安全感，盼著一年三周的假期和工作四十五年後獲得的一小筆養老金。如果你喜歡這樣，我就把工資提到每小時二十五美分。」

「但他們都是努力工作的好人啊，你在嘲笑他們嗎？」我問道。

一絲笑容浮上了富爸爸的面龐。

「馬丁太太對我就像媽媽一樣，我絕不會那麼殘忍地對待她的。我上面的話可能聽起來很無情，可是我正盡力向你們說明一些事情。我想拓寬你們的視野以便讓你們看清一些東西。這些東西甚至大多數成年人也從未看見過，因為他們眼界狹窄，大多數人從未認識到他們身處困境。」

邁克和我還是不太明白他的話。他聽起來很無情，然而我們能感覺到他確實急於想讓我們明白一些事情。

富爸爸笑著又說了：「二十五美分一小時怎麼樣？這樣是否能讓你們心跳加速？」

我搖搖頭說：「不會啊。」但事實上，二十五美分一小時對我而言可真是一大筆錢啊！

「好，我每小時給你一美元。」富爸爸帶著狡黠的笑容說。

我的心開始狂跳，頭也開始發暈。「接受，快接受。」我的心裡在喊，但我不相信我所聽到的，所以什麼也沒說。

「好吧，每小時兩美元。」

我那九歲的大腦和心臟幾乎要爆炸了。畢竟這是一九五六年，每小時二美元將使我成為世界上最有錢的孩子！我無法想像能掙到這麼多錢。我想說「好啊」，我真想達成這筆交易，我似乎看見一輛全新的自行車，一副新的棒球手套，以及當我拿出錢時同學們羨慕的表情。最重要的是，基米和他的朋友再也不能叫我窮人了，但不知怎麼地，我仍遲遲未開口。

也許我的腦袋已經熱昏了，但內心深處，我極其想要那每小時的二美元。

霜淇淋化了，流到了我手上。霜淇淋筒已經空了，螞蟻正在享受著一團香精和巧克力。

富爸爸看著兩個孩子盯著他，眼睛睜得大大的，腦子裡卻空空如也。事實上，他正在考驗我們，而且他也知道我們很想接受這筆交易。他知道每個人都有可以被擊中的弱點，也知道每個人都有一種強大、堅定、無法用金錢收買的精神。問題在於哪一部分更強大。他在一生中考驗了成百上千的人，每次的招工面試都是一番考驗。

「好，五美元一小時。」

我的內心突然平靜下來了，內心發生了一些變化。這個出價太高了，顯得有些荒謬。在一九五六年，連成年人也沒有幾個人可以每小時掙得五美元的。誘惑消失了，平靜回來了。我慢慢地轉過頭去看邁克，他也在看我。我靈魂中軟弱而貧乏的一面沉默了，而無法用錢收買的一面占了上風。面對錢，我開始心安神定。我知道邁克也一樣。

「很好，」富爸爸輕輕地說，「大多數人都希望有一份工資收入，之所以會這樣是因為他們有恐懼和貪婪之心。先說恐懼感，沒錢的恐懼會刺激我們努力工作，當我們得到報酬時，貪婪或欲望又開始讓我們去想所有錢能買到的東西。於是就形成了一種模式。」

「什麼模式？」我問。

「起床，上班，付賬，再起床，再上班，再付賬……他們的生活就是在無窮盡地為這兩種感覺而奔忙：恐懼和貪婪。給他們更多的錢，他們就會以更高的開支重複這種迴圈。這就是我所說的『老鼠賽跑』。」

「有什麼法子嗎？」邁克問。

「有，但只有少數人知道。我希望你們能在工作中以及跟我學習的過程中找到解決的辦法。這就是我不給你們任何工資的原因。」

「有什麼提示嗎？」邁克問，「我們工作得很累，尤其是白幹的時候。」

「哦，第一步是講真話。」富爸爸說。

「我們可沒撒謊。」我叫道。

「我沒說你們撒謊，我是說要分清真相。」

「那，什麼是真相？」

「靠你感覺，除了你自己，誰也不能真正明白你的感覺。」

「你說這公園裡的人，那些為你工作的人，還有馬丁夫人，他們都沒弄清楚這些東西？」

「我想是的。他們害怕沒有錢，不願面對沒有錢的恐懼，對此他們作出了反應，但不是用他們的頭腦。」富爸爸說著同時，拍了拍我們的頭。「他們是會去掙了一點小錢，可是快樂、欲望、貪婪會接著控制他們，他們會再作出反應，但仍然是不加思考。」

「他們的感情代替了他們的思想。」邁克說。

「正是如此，他們不去分辨真相，不去思考，只是對感受作出反應。他們感到恐懼，於是去工作，希望錢能消除恐懼，但錢不可能消除恐懼。於是，恐懼追逐著他們，他們只好又去工作，希望錢能消除恐懼，但還是無法擺脫恐懼。恐懼使他們落入工作的陷阱，掙錢——

工作——掙錢，希望有一天能消除恐懼。但每天他們起床時，就會發現恐懼又同他們一起醒來了。恐懼使成千上萬的人徹夜難眠。所以他們又起床去工作了，希望薪水能殺死那該死的恐懼。錢主宰著他們的生活，他們拒絕去分辨真相，錢控制了他們的情感和靈魂。」

富爸爸靜靜地坐著，讓他的話音漸漸消失。邁克和我聽著他的話，但不能完全明白他在講些什麼。我經常奇怪大人們為什麼總是急急忙忙去工作，這事看起來真是無趣，而且他們看上去也不快活，但好像總有些東西使他們不斷地急著去工作。

意識到我們已經盡可能地吸收了他的話後，富爸爸說：「我希望你倆避開這個陷阱，這就是我想教你們的，而不只是發財，發財並不能解決問題。」

「不能嗎？」我驚奇地問。

「不能。讓我談談另一種感情：欲望，有人把它稱為貪婪，但我寧可用欲望。希望一些東西更好、更漂亮、更有趣或更令人激動，這是相當正常的。所以人們總為了實現欲望而最終變成是為錢工作。他們認為錢能買來快樂，可用錢買來的快樂往往是短暫的，所以他們不久就需要更多的錢來買更多的快樂、更多的開心、更多的舒適和更多的安全。於是他們工作又工作，以為錢能使他們那被恐懼和欲望折磨著的靈魂平靜下來，但實際上，錢是無法滿足他們的欲望的。」

「即使是富人？」邁克問。

「富人也是如此。事實上，許多人致富並非出於欲望而是由於恐懼，他們認為錢能消除那種沒有錢、貧困的恐懼，所以他們積累了很多的錢，可是他們發現恐懼感更加強烈了，他們更加害怕失去錢。我有一些朋友，已經很有錢了，但還在拚命工作，甚至有些百萬富翁比他們窮困時還要恐懼。這種恐懼使他們過得很糟糕，他們精神中虛弱貧乏的一面總是在大聲尖叫：我不想失去房子、車子和錢給我帶來的上等生活。他們甚至擔心一旦沒錢了，朋友們會怎麼說。許多人變得絕望而神經質，儘管他們很富有。」

「那窮人是不是要快活些？」我問。

「我可不這麼認為。閉口不談錢就像依賴錢一樣是一種心理疾病。」

這時，就像約好了似的，鎮上的乞丐走過我們的桌子，停在一大堆垃圾罐旁翻撿起來。我們三個極有興趣地注視著他，剛才我們幾乎沒意識到他的存在。

富爸爸掏出一美元，向乞丐招招手。看到錢，乞丐立即走過來，他收了錢，含糊不清地道了謝就欣喜若狂地拿著他的錢走了。

「他就和我大多數的雇員一樣，沒有多大的差別，」富爸爸說，「我遇到過很多人，他們說『我對錢沒興趣』，可是他們卻一天工作八小時並且不停地抱怨工作無聊。如果他們對錢沒興趣，又何必做自己不喜歡的工作呢？這種人比斂財的人病得更重。」

當我坐在那兒聽著富爸爸的話時，腦中無數次地閃出我爸爸的話：「我對錢不感興趣。」他常說這句話，他說：「我工作是因為我熱愛這個職業。」

「那我們該怎麼辦？」我問，「不為錢工作直到所有的恐懼和貪婪都消失嗎？」

「那只會浪費時間。人需要有感情，它使我們真實，感情這個詞表達著行動的動力。真實地看待你的感情，以你喜歡的方式運用你的頭腦和感情，而不是與自己作對。」

「啊喲！」邁克叫了起來。

「別對我的話擔心，它會讓你受用一生的。好好觀察你的感情，別急於行動。大多數人不懂得是他們的感情代替了他們的思想，感情是感情，你還必須學會獨立思考。」

「你能給我們舉一個例子嗎？」我問。

「可以。當一個人說『我得去找份工作』，這就很可能是感情代替了思考。害怕沒錢的感覺便產生了找工作的念頭。」

「但是如果人們要付賬的話，他們是需要錢的呀。」我說。

「的確如此。所以，我說感情常常過多地代替了思考。」

「不懂。」邁克說。

「比如說吧，如果人們害怕沒有錢花，就立刻去找工作，然後掙到了錢，使恐懼感消除。這樣做似乎很對。可是一旦這樣理解，他就不會去思考這樣一個問題，一份工作能長期解決你的經濟問題嗎？依我看，答案是『不能』，尤其從人的一生來看更是如此。工作只是試圖用暫時的辦法來解決長期的問題。」

「但我爸總是說『去上學，取得好成績，這樣你就能找到穩定的工作』。」我有些迷惑地說。

「是啊，我懂他的意思。大多數人都這麼給人建議，而且對於大多數人來說這也確實是個好主意。但人們作出這種建議，基本上仍是出於恐懼。」

「你是說我爸這麼說是因為害怕？」

「是的，他擔心你將來掙不到錢並且不適應這個社會。別誤解了我的話，他愛你而且希望你好，而且他的擔心也不無道理。教育和工作是很重要的，但它們對付不了恐懼。實際上，他恐懼，所以每天去上班掙錢；為你擔心，所以熱中於讓你去上學。」

「那你說該怎麼辦？」我問。

「我想教你們學會支配錢，而不是害怕它，這在學校裡是學不到的。如果你不學，你就會變成錢的奴隸。」

顯而易見，他想使我們擴展視野，這一切，馬丁太太看不見，他的雇員們看不見，我爸爸也看不見。富爸爸用了聽起來很無情的例子，但這些例子我始終不會忘記。我的視野在那天被打開了，開始注意到大多數人所面臨著的「陷阱」。

「你看，我們最終都是雇員，只不過處於不同層次而已。我只希望孩子們有機會避開由恐懼和欲望組成的陷阱，能照你喜愛的方式運用恐懼和欲望，別讓恐懼和欲望控制你。這就是我想教你們的。我對教你們如何掙到大把的錢沒有興趣，那解決不了問題。如果你們不先控制恐懼和欲望，即使你們有錢，也只不過是高薪的奴隸而已。」

「那我們該怎樣避開陷阱？」

「造成貧窮和財務問題的主要原因是恐懼和無知，而非經濟環境、政府或富人。自身的恐懼和無知使人們難以自拔，所以你們應該去上學並且接受大學教育，而我教你們怎樣不落入陷阱。」

謎底漸漸顯露出來。我爸爸受過高等教育，有著很好的職業，但學校從沒告訴他如何處理金錢或恐懼。我可以從兩個爸爸那裡學習到不同的但同樣都是很重要的事情。

「你談到對缺錢的擔心，那麼對錢的欲望會怎樣影響到我們的思想呢？」邁克問。

「當我用更高的工資引誘你們時，你們有什麼感覺？你感到欲望在膨脹嗎？」

我們點點頭。

「但你們沒有對感覺屈服，你們推遲了決定的作出。這是極為重要的。我們總是有著恐懼或貪婪之心。從現在開始，對你們來說，重要的是運用這些感情為你們的長期利益謀利，別讓你們的感情控制了思想。大多數人讓他們的恐懼和貪婪之心來支配自己，這是無知的開始。因為害怕或貪婪，大多數的人生活在掙工資、加薪、勞動保護之中，而不問這種感情支配思想的生活之路通向哪裡。這就像一幅畫：驢子在拚命拉車，因為車夫在它鼻子前面放了個胡蘿蔔。車夫知道該把車駛到哪裡，而驢卻只是在追逐一個幻覺。但第二天驢依舊會去拉車，因為又有胡蘿蔔放在了驢子的面前。」

「你的意思是，當時在我腦海中的那些棒球手套、糖果和玩具的影像就像那驢子面前的胡蘿蔔一樣嘍？」

「不錯。當你長大後，你的玩具會變貴，會變成要給你的朋友留下深刻印象的汽車、汽艇、大房子，」富爸爸笑著說，「恐懼把你推出門外，願望又召喚你進去，誘惑你去觸礁。這就是陷阱。」

「那答案是什麼呢？」

「強化恐懼和欲望是無知的表現，這就是為什麼很多有錢人常常會擔驚受怕。錢就是胡蘿蔔、是幻像。如果驢能看到整幅圖像，它可能會重新想想是否還要去追求胡蘿蔔。」

富爸爸解釋說，人生實際上是在無知和幻覺之間的一場鬥爭。

他說一旦一個人停止尋求知識和資訊，就會變得無知。因此，人們需要不停地與自己作鬥爭：是透過學習打開自己的心扉，還是封閉自己的頭腦。

「學校是非常非常重要的地方。在學校，你學習一種技術或一門專業，並成為對社會有益的人。每一種文明都需要教師、醫生、工程師、藝術家、廚師、商人、警察、消防隊員、士兵等等。學校培養了這些人才，所以我們的社會可以興旺發達。但不幸的是，對許多人來說，學校是終止而不是開端。」

接下來是長長的沉默。富爸爸依舊微笑著，我還沒弄明白那天他說的全部。但我已經意識到富爸爸是個很偉大的老師，他的話在我耳邊迴響了很多年，直到現在我都還在回味其中的道理。

「今天我有點無情，但無情得有理，」富爸爸說，「我希望你們永遠記住這次談話，我希望你們多想想馬丁太太，多想想那頭驢。永遠別忘記，會有兩種感情——恐懼和欲望，使你落入一生中最大的陷阱，如果你讓它們來控制自己的思想，你的一生就會生活在恐懼中，從不探求你的夢想，這是殘酷的。為錢工作，以為錢能買來快樂，這也是殘酷的。半夜醒來想著許多的賬單要付是一種可怕的生活方式，以工資的高低來安排生活不是真正的生活。這些都很殘酷，而我希望你們能避開這些陷阱，如果可能的話，別讓這些問題在你們身上發生，別讓錢支配你們的生活。」

一個壘球滾到了桌下，富爸爸拾起來扔了回去。

「無知是怎樣和恐懼、貪婪相聯的？」我問。

「對錢的無知導致了如此之多的恐懼和貪婪的產生。我可以給你一些例子。一個醫生為了想多掙些錢來更好地養活家人，於是就提高了收費，這就使每個人的醫療支出增加，這一切最無情地損害了窮人的利益，所以窮人的醫療狀況比富人差。由於醫生提高收費，則律師也提高收費；由於律師提高收費，學校老師也想增加收入，這就迫使政府提高稅收。這樣一環套一環，不久，在富人和窮人之間就有了一條可怕的鴻溝，混亂就會爆發。當鴻溝大到了極點時，一個社會就會崩潰。美國同樣身在其中，這種歷史一再重演，因為人們沒有以史為鑑。我們只是記住了歷史事件發生的時間和名稱，卻沒有記住教訓。」

「價格難道不能上漲嗎？」我問。

「在一個教育水平高和政府管理良好的社會中價格是不會上漲的，事實上還應該下降，價格上漲的原因是由無知引起的貪婪和恐懼。如果學校教學生認識錢，社會就有可能會變得更富有而且物價低廉。但學校關注的只是教學生為錢而工作，而不是如何開發和利用錢的力量。」

「但我們不是有商學院嗎？」邁克問，「你不是在鼓勵我進商學院拿博士學位嗎？」

「是的，但這並不夠！」富爸爸說，「商學院更擅長的是製造精確而廉價的『計算器』，他們不可能完成大事。他們所做的只是看看數字，解雇人並把生意搞糟，他們所想的只是降低成本提高價格，事實上這會帶來更多的問題。計算是重要的，我希望更多的人懂得計算，但計算並不是全部。」

「那該怎麼辦呢？」邁克問。

「學會讓感情跟隨你的思想，而不要讓思想跟著你的感情。當你們控制了感情，同意免費幹活時，我就知道你們還有希望。當你們在我用更多的錢誘惑你們時，你們抵制住了感情，你們就又一次進行了思考而不是任由感情控制你們。這是第一步。」

「這一步為什麼如此重要？」我問。

「噢，這要由你自己來找答案了。如果你想學，我將把你們帶上這條佈滿荊棘的道路，大多數人都會選擇避開這條路。我會帶你們去大多數人都怕去的地方，跟著我，你們將學會讓錢為你們所用的方法，而不僅僅是為錢而工作。」

「我們跟著你會得到什麼呢？我們同意跟你學，但我們能學到什麼呢？」我問。

「自由。」

「那是一條佈滿荊棘的路嗎？」

「是的，所謂的荊棘就是我們的恐懼和貪婪。走進我們的恐懼，直接面對我們的貪婪、弱點和缺陷。這條路的出路就是用心去確定你的思想。」

「確定思想？」邁克不解地問。

「是的，確定我們該怎樣思考而不只是對情感作出反應。不要用因為害怕沒錢付賬而起床工作的方法來解決你的問題。你要花時間去想這樣的問題，更努力地工作是解決問題的最好方法嗎？許多人都害怕對自己說出真相。他們被恐懼所支配，不敢去思考，於是就出門去找工作，因為恐懼在支配著他們。這就是我說的『確定你的思想』。」

「我們怎樣才能做到這點？」邁克問。

「那是我將來要教你們的。我會教你三思而後行，而不是條件反射式地行動，就像匆忙嚥下早餐的咖啡後跑出去工作一樣。記住我以前所說的：工作只是面對長期問題的一種暫時的解決辦法。大多數人心裡只有一個問題，並且是短期的，那就是月底要付賬了，於是又感到恐懼了。錢控制了他們的生活，或者說對錢的無知或恐懼控制了他們的生活。所以他們就像他們的父母一樣生活，早早起來去工作掙錢，而從不抽出時間想想，有什麼別的法子嗎？他們的思想由他們的感情控制著的，而不是他們的頭腦。」

「你能說說感情和理智的區別嗎？」邁克問。

「噢，當然。我總是聽到這種話，『每個人都必須去工作』，或是『富人是騙子』、『我要換份工作』、『我應該得到更高的工資』、『你不能任意擺佈我』、『我喜歡這份工作因為它很安定』，而不是說『我失去了什麼東西嗎』，這樣的話才會避免你感情用事而留給你仔細思考的時間。」

我得承認，這的確是重要的一課，也就是知道人什麼時候是在表達「感受」而不是表達清楚的「思想」。這一課令我終生受益，尤其是當我的話也僅僅是出於反應而非出於深思時。

我們走回小店的路上，富爸爸解釋說富人的確是在「造錢」，他們不為錢而工作。他接著解釋當我和邁克鉛鑄五分錢的硬幣時，我們想著那是在「造錢」，我們的想法和富人的想法實際上是很接近的，問題是我們的做法不合法，只有政府和銀行才能合法地做這種事。他解釋了掙錢的合法方式與非法方式。

富爸爸繼續解釋說富人知道錢是虛幻的東西，就像驢子的胡蘿蔔一樣。正是由於恐懼和貪婪使無數的人抱著這個幻覺還以為它是真實的。錢的確是造出來的，正是由於對錢的幻覺以及無知使得人們不敢去「造錢」。「事實上，從許多方面來說，驢的胡蘿蔔都比錢有價值。」

他說到美國正處於金本位制，每一張美鈔實際就是一枚金屬貨幣。他感興趣的是關於政府會撤消金本位制並且未來的美鈔將不再與金屬貨幣對值的傳言。

「這種事如果真的發生，孩子們，地獄之門就快開了。窮人、中產階級和無知的人的生活將被毀掉，因為他們相信錢是真實的財富，而且相信他們為之效力的公司、政府會安排他們的一切。」

我們的確不太明白那天這席話的含義，但多年以後，他的話在越來越多的地方應驗了。

看見了別人看不見的

當他上了停在店外的小卡車時候說：「繼續工作，孩子們，很快你們就會忘了工資的事，這對你們來說比大人容易做到，繼續用你們的腦子思考，無代價地工作，很快你們就會發現掙錢的方法，用這種方法掙來的錢會比我付給你們的多許多。你們會看到別人看不見的東西，機會就在你面前。大多數人看不見這種機會是因為他們忙著尋找金錢和安定，所以他們得到的也就有限。當你看到一個機會時，你就已經學會了並且會在一生中不斷地發現機會。當你找到機會時，我會教你其他的事。學會了這些，你就能避開生活中最大的陷阱，就不會再感到恐懼了。」

邁克和我收拾好東西與馬丁太太道了別。我們走回公園，又坐回到那張長椅上，花了好幾個小時思考和討論。

第二個星期在學校裡，我們仍然在思考和討論這些問題。接下來的兩個星期，我們一直這麼進行著，同時繼續免費工作。

第二個星期六工作結束時，我再次向馬丁太太道別了，道別時我的眼睛停留在架子上的漫畫書上。每周六沒了三十美分使我沒有錢去買漫畫書了。而就在馬丁太太對我和邁克說再見時，她做了一件我以前從未留意過的事。事實上，我以前也見她這樣做過，但從未引起我的注意。

馬丁太太把漫畫書的封面撕成兩半，她把封面的上半部留下，將剩下的書扔進了棕色的書櫥。我問她這是做什麼，她說：「我要把這些沒有賣掉的舊書處理掉。當書商送新書的時候，我會把封面的上半部交給他，作為沒有賣掉的證明，他一小時後就到。」

一小時後，書商來了。我問他是否能把那些即將被扔掉的漫畫書送給我們。他回答說：「如果你們是替這家店幹活的並且保證不把它們賣掉，我就送給你們。」

於是，我們達成了協定。邁克的媽媽在地下室裡有間空房子，我們把它清理出來，把幾百本的漫畫書搬了進去。很快地，我們的漫畫書閱覽室就對外開放了。我們雇了邁克的妹妹——她很愛讀書——來當圖書管理員。她向每個來看書的孩子收十美分，閱覽室從下午兩點半開到四點半，每天放學後都開。顧客呢，包括鄰家的孩子，他們可以在這兩個小時內看個夠。十美分一個人是相當便宜的，而且兩小時內他們可以看五、六本書。

當顧客離開時，邁克的妹妹要負責檢查，確保他們不把書帶出去。她還要保管書，記錄每天有多少人來，他們的名字，以及他們的要求。邁克和我在三個月內平均每周可得九塊半美元。我們每周付給他妹妹一美元，而且允許她免費看書，她的確看了不少書，因為她是那麼愛讀書。

邁克和我仍然每周六去小店幹活，從各個店收集不要的漫畫書。我們對書商遵守了諾言，沒有賣一本漫畫書，當書實在太破舊了我們就燒掉它。我們試圖開一家分支機構，但我們實在找不到一個像邁克妹妹那樣可以信任的管理員。

小小年紀，我們就已發現想找個好職員實在困難。

閱覽室開張三個月後，發生了一場爭鬥，附近的小流氓插手進來盯上了這樁生意。邁克的爸爸建議我們關門，所以我們的漫畫書生意結束了，同時我們也停止了在小店的工作。不管怎樣，富爸爸十分興奮，他有新東西要教我們了。他很高興，因為我們的第一課學得如此之好。我們已經在學習怎樣讓錢為我所用了。由於沒有從商店的工作中得到報酬，我們不得不發揮我們的想像力去尋找掙錢的機會。從一開始我們自己的漫畫書閱覽室起，我們開始自己賺錢，而不是依賴雇主。尤其是我們的生意為我們帶來了錢，甚至於當我們不在那兒時，它也在生錢，我們的錢為我們工作了。

沒有付給我們工錢，富爸爸卻給了我們更多的東西。

Chapter three

Lesson Two
Why Teach Financial Literacy

第二課:
為什麼要教授財務知識

第二課：爲什麼要教授財務知識

一九九〇年，我最好的朋友邁克接管了他爸爸的商業王國，而且做得比他爸爸還好。我們每年都會在高爾夫球場上見一兩次面。他和他夫人的財產多得讓人難以想像，富爸爸的王國被管理得很好，而邁克已開始訓練他的兒子接替他的位置了，正如當年富爸爸訓練我們那樣。

一九九四年，我四十七歲時退休了，當時我妻子三十七歲。退休並不意味著無事可幹。對於我和我妻子來說，除非發生意想不到的大事，否則我們完全可以選擇工作也可以選擇不工作，同時我們的財富能避開通貨膨脹而且還在不斷地增加著。我想這就是財務上的自由。資產已經多到可以自我增值，就像種下了一棵樹，你年復一年地澆灌它，終於有一天它不再需要你的照料，可以自己生長了。它的根已經夠深，你現在只管開始享受它的樹蔭了。

邁克選擇經營他的商業王國而我選擇了退休。

當我面對一批又一批的人講演時，他們總是問我有什麼建議給他們，或是應該怎麼做。「我該怎樣開始？」「有什麼可以推薦的好書嗎？」「應該為培養孩子做些什麼？」「成功的秘訣是什麼？」「我怎樣才能掙到一百萬美元？」這使我總是回想起那篇我曾寫過的文章，其內容如下：

最富有的生意人

一九二三年，一些最偉大的領導人和最富有的商人在芝加哥「海岸酒店」舉行了一次會議。他們中有美國最大的獨立鋼鐵企業的領導人查爾斯・施瓦布；世界最大的公用事業公司主席塞繆爾・英薩爾；最大的煤氣公司領導人霍華德・霍普森；國際火柴公司總裁埃娃・克魯格，國際火柴公司當時是世界上最大的公司之一；國際清算銀行總裁利昂・佛雷澤；紐約證交所主席理查德・惠特尼；兩個最大的股票投機商阿瑟・科頓和傑斯・利佛莫爾；美國第二十九任總統哈定內閣的成員阿爾伯特・富爾。二十五年後，他們中的九人就這樣去世了：施瓦布在度過五年借債生涯後身無分文地死去了；英薩爾破產後死於國外；克魯格和科頓也死於破產；霍普森瘋了；惠特尼和阿爾伯特・富爾則差點進了監獄；佛雷澤和利佛莫爾破產自殺了。

我懷疑是否有人說得清楚在這些人身上，究竟發生了什麼事。看看時間，一九二三年，正是一九二九年市場大崩潰和大蕭條的前夜，這場大蕭條嚴重地衝擊了這些人和他們的生活。關鍵的一點是：我們今天生活所處的時代比過去更加不安定，我想在未來二十五年中會有更多的興衰起落，這是那些人曾經面對過的。我想太多的人仍然過多地關注錢，而不是他們最大的財富——所受的教育。如果人們靈活一些，保持開放的頭腦並不斷學習，他們將在這些變化中一天比一天富有。如果認為錢能解決一切問題，恐怕這些人的日子就會不太好過。知識才能解決問題並創造財富，不是憑財務知識掙來的錢很快就會消失。

大多數人沒有意識到在生活中，不在於你掙了多少錢而在於你留下了多少錢。我們都聽說過，一個窮人中了彩，一下子暴富起來，然而不久就又變窮了，他們雖然得到了一百萬美元但很快又回到了起點。還有這樣的故事，說一個職業運動員在二十四歲時就掙了幾百萬美元，但到了三十四歲卻露宿橋下。今天上午當我寫這本書的時候，報紙上就登有這樣一則新聞：一個年輕的籃球運動員，一年以前他還擁有幾百萬美金，但現在，他說他的朋友、律師、會計師拿走了他的錢，他只能在一個洗車站幹著最低報酬的活兒。

他只有二十九歲。因為拒絕在擦車時摘下冠軍戒指，他又被洗車站解雇了，所以他的事情上了報紙。籃球運動員控告洗車站，訴說艱難的工作和人們的歧視，他還說那枚戒指是他唯一剩下的東西，如果把它拿走，他就會崩潰。

一九九七年，我知道又有很多正要成為百萬富翁的人快要發瘋了。已臨近世紀的尾聲了，我很高興看到人們越來越富裕，我卻仍想提醒一句：從長期來看，重要的不是你掙了多少錢，而是要看你能留下多少錢，以及留住了多久。

所以當人們問我：「我該從哪兒開始」或「告訴我怎樣才能快速致富」時，他們肯定會對我的回答感到失望。我只是對他們說我的富爸爸在我小的時候曾對我說過的話：「如果你想發財，就需要學習財務知識。」

我和富爸爸在一起的日子裡，這個思想始終縈繞在我的腦海中。可以說，我那受過高等教育的爸爸已經認識到了讀書的重要性，而富爸爸則強調必須掌握財務知識。

如果你要去建立帝國大廈，你要做的第一件事就是挖個深坑，打牢基礎。如果你只是想在郊區蓋個小屋，你只須用六英寸厚的水泥板就夠了。大多數人，當他們努力致富時，總是試圖在六英寸厚的水泥板上建造帝國大廈。

我們的學校體系在農業文明時代就建立了，在某些方面至今仍沒有什麼改善，孩子們從學校畢業時沒有學到一點財務基礎知識。一天，當人們在債務泥淖的邊緣掙扎而無法入睡時，他們便作起美國夢，認定解決他們財務問題的方法就是快點發財。

於是建摩天大樓的工作開始了。雖然進行得很快，可是我們沒有建成帝國大廈，卻建了一座斜塔。不眠之夜又來了。

邁克和我在成年以後，我們可以有多種選擇，因為在我們小的時候就已經打下了堅實的財務知識基礎。

現在，會計可能是世界上最乏味的學科了，也可能是最讓人弄不明白的學科。但如果你想長期富有，它又可能是最重要的學科。問題是，你怎樣才能接受這門乏味而晦澀的學科並把它教給孩子呢？答案是：簡化它，首先可用圖來教。

富爸爸為邁克和我打下了牢固的財務知識基礎。由於當時我們只是孩子，富爸爸就創造了一種簡單的方法來教我們。有好幾年他只是畫圖和用一些單詞。邁克和我弄懂了那些簡單的圖、術語、以及用它們詮釋的錢的運動規律。在以後的幾年中，富爸爸開始加入數字。今天，邁克已經掌握了更為複雜難懂的會計分析，因為他有幾十億美元的公司要經營，他必須掌握這些方法。我不這麼複雜是因為我的「王國」要小一些，但我們卻源於同一個簡單的基礎。在下面幾頁，我會列出一些同樣簡單的圖，就像邁克的爸爸當初為我們發明的那些圖一樣。這些圖雖然簡單，卻使兩個孩子建立了取得巨大財富的牢固基礎。

首先，你必須明白資產和負債的區別，並且盡可能地購買資產。如果你想致富，這一點你必須知道。這就是第一號規則，也是僅有的一條規則，這聽起來似乎太簡單了，但人們大多不知道這條規則有多麼深奧，大多數人就是因為不清楚資產與負債之間的區別而苦苦掙扎在財務問題裡。

「富人獲得資產，而窮人和中產階級獲得債務，只不過他們以為那些就是資產。」

當富爸爸對邁克和我解釋這些概念時，我們以為他是在哄我們。當時，我們兩個不到十歲的小孩正等著聽到致富的秘訣，而得到的卻是這樣的回答。這回答是如此簡單以致我們不得不長時間地思考它。

「資產是什麼？」邁克問。

「現在別管它，」富爸爸說，「先記住我上面說的那段話就行了。如果你能理解那些話，你們的生活會變得有計劃而且不會受到財務問題的困擾。正是由於簡單，它才常常被人們忽視。」

「你的意思是說我們所需要明白的就是什麼是資產，並且得到它們，然後我們就能致富，是嗎？」我問。

富爸爸點點頭說：「就這麼簡單。」

「既然很簡單，那為什麼不是每個人都發財呢？」我問。

富爸爸笑了，他說：「因為人們實際上並不明白資產和負債的區別。」

我又問：「大人怎麼會這麼笨，如果這個道理很簡單，而且很重要，為什麼人們不把它弄明白呢？」

富爸爸於是花了幾分鐘向我們解釋什麼是資產和負債。

成年後，我發覺向其他的成年人解釋什麼是資產、什麼是負債十分困難。為什麼呢？因為成年人要更聰明。大多數情況下，這個簡單的思想沒有被大多數的成年人掌握，因為他們有著不同的教育背景，他們被其他受過高等教育的專家，譬如銀行家、會計師、地產商、財務策劃人員等等所教導。難處就在於很難要求這些成年人放棄已有的觀念，變得像孩子一樣簡單。高學識的成年人往往覺得研究這麼一個簡單的概念太沒面子了。

富爸爸相信「ＫＩＳＳ」原則，即「傻瓜財務原則」（Keep It Simple Stupid）。所以他特意為兩個小孩簡化了課程，而這又使兩個孩子所打的基礎更加牢固。

是什麼造成了觀念的混淆呢？或者說為什麼如此簡單的道理，卻難以掌握呢？為什麼有人會買一些其實是負債的資產呢？答案就在於他所受的是什麼樣的基礎教育。

我們通常都非常重視「知識」這個詞而非「財務知識」。而一般性的知識是不能定義什麼是資產、什麼是負債的。實際上，如果真的想被弄昏，就儘管去查查字典中關於「資產」和「負債」的解釋吧。那上面的定義對一個受過訓練的會計師來說是很清楚的，但對於普通人而言可能毫無意義。但我們成年人卻往往太過於自負而不肯承認看不懂其中的含義。

對小孩子，富爸爸說：「定義資產的不該用詞語而是數字。如果你不能讀懂數字，你就不能發掘和辯認出資產。」

「在會計上，」他接著說，「關鍵不是數字，而是數字要告訴你的東西。數字不是詞語，但像詞語一樣，它能告訴你它想告訴你的事。

「許多人在閱讀，但並不十分理解他們所讀到的東西，因此有閱讀理解這一說法。而人們在閱讀理解方面的需求和能力是不同的。例如，我最近買了個新的錄影機，附有一本錄影機的使用指南。其實我想做的只是把星期五晚上我喜歡的電視節目錄下來，但我讀那手冊時幾乎要發瘋了，我甚至認為在我的生活裡沒有比學習怎樣用錄影機更複雜的事了。我能讀出每個詞，但它們連起來後，我就不明白它們在說什麼了。在認字上我得了『A』，在理解上卻得了『F』，這和大多數人對財務詞條的理解情況是一樣的。」

這句「如果你想富有，你必須讀懂並理解數字。」我已從富爸爸那裡聽到一千次了，同樣頻繁出現的話還有「富人得到資產而窮人和中產階級得到負債」。

下面是區分資產和負債的方法。大多數會計師和財務專業人員不會同意這種定義法，但是這些簡單的畫卻是兩個小孩建立堅實的經濟基礎的開端。

為了教兩個不到十歲的孩子，富爸爸簡化了每件事，盡可能地多用圖，少用文字，並且很多年一直未加進數字。

資產的現金流

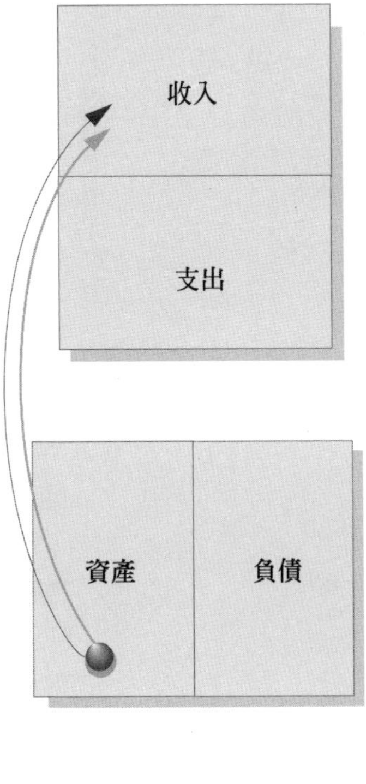

上圖是收入表，常被稱為損益表。它常用來衡量收入和支出以及錢進錢出。下圖是資產負債表，它被用來說明資產與負債情況。許多初學經濟的人都弄不清收入表和資產負債表間的聯繫，而這種聯繫對於理解它們卻是至關重要的。

很多人長期處於財務困境的根本原因就在於他們從來就不明白資產和負債的區別，而引起誤會的原因就是定義它們時所用的詞語。如果你想瞭解怎樣叫作含糊不清，只需去字典裡查查「資產」和「負債」這兩個詞。

當然，字典中的定義對於受過訓練的會計人員來說是有用的，但對於普通人，這種定義過於專業、嚴謹，你讀出了那些定義裡的字卻很難理解它們串在一起時的真正含義。

所以正如我前面說過的，富爸爸只是告訴兩個小孩下面這句話：「資產就是能把錢放進你口袋裡的東西」。好極了！這話簡單而實用。

負債的現金流

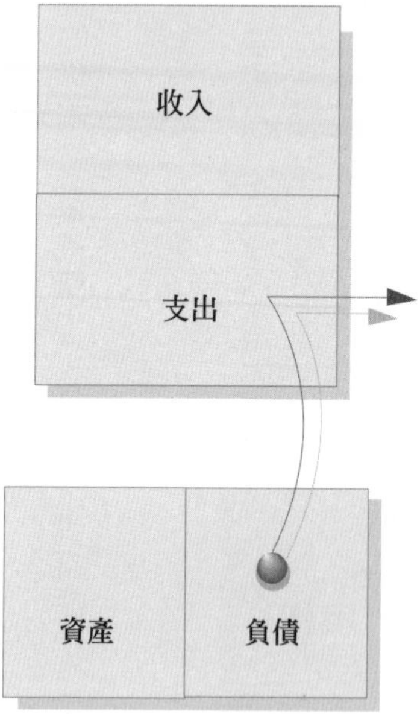

現在用圖來定義資產和負債，它可能更容易說明我用文字所下的定義：

資產就是能把錢放進你口袋裡的東西。

而負債是把錢從你口袋裡取走的東西。

這就是你所要知道的全部了。如果你想變富有，只須在一生中不斷地買入資產就行了；如果你想變窮或成為中產階級，只須不斷地買入負債。正是因為不知道資產與負債兩者間的區別，人們常常把負債當作資產買進，導致了世界上絕大部分人要在財務問題中掙扎。

看不懂財務方面的文字表述或讀不懂數字的含義，是問題發生的根本原因。如果人們陷入財務困難，那就是說有些東西，或是數字或是文字他讀不懂，或是有些東西被他誤解了。富人之所以富有是因為他們比那些掙扎於財務問題的人在某個方面有更多知識，所以如果你想致富並保住你的財富，財務知識是十分重要的，包括對文字和數字的理解。

圖中的箭頭方向表明了現金的流動或「現金流量」。數字本身意義不大，正如文字本身意義不大一樣，重要的是數字或文字所要表述的東西。在財務報告中，讀數字是為了發現情況、瞭解流向，即錢在向哪兒流。80%的家庭中，財務報表表現的是一幅超前努力工作的圖景，不是因為他們不掙錢，而是因為他們購買的是負債而非資產。

例如，下面是一個窮人或一個尚未離開家的年輕人的現金流向圖：

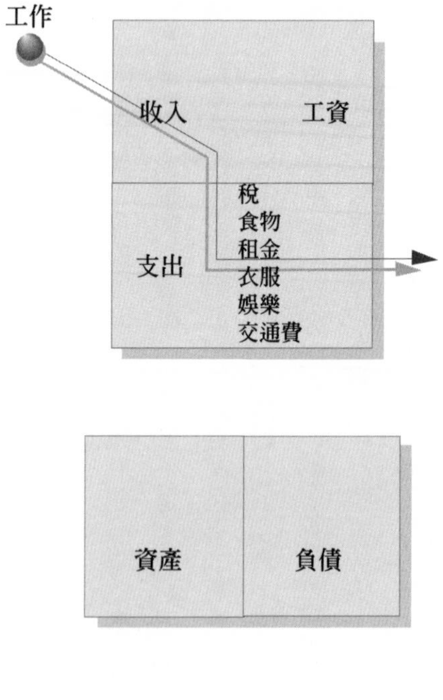

下面是一個中產階級的現金流向圖：

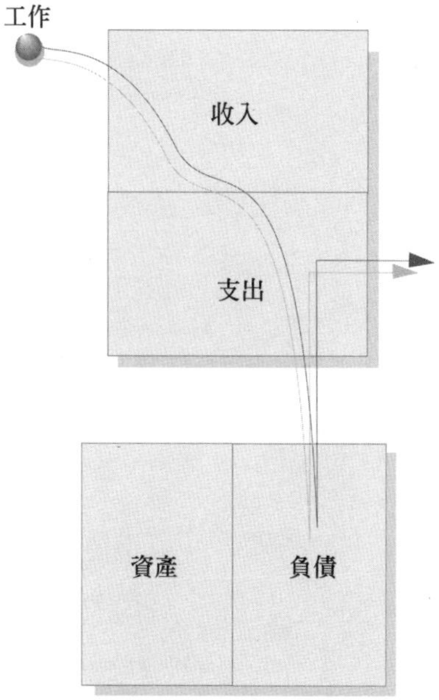

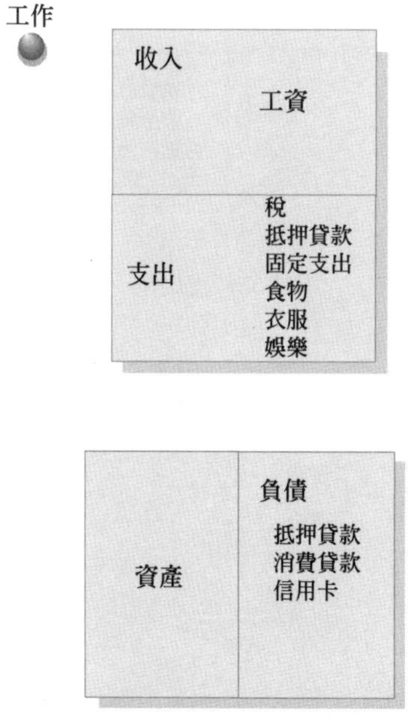

下面是一個富人的現金流向圖：

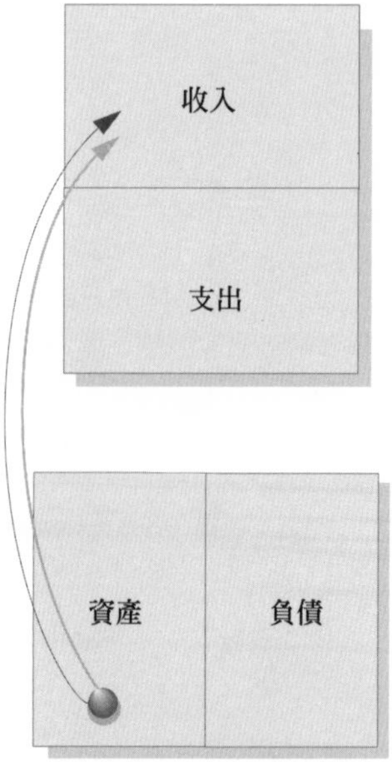

所有這些圖表都顯得過於簡化，但每個人都有生活支出，譬如吃、住、穿的費用等等。這些圖表顯示了窮人、中產階級、富人一生的現金流。正是現金流說明了問題，即現金流說明了一個人是怎樣處理他已經到手的錢的。

我之所以從美國有錢人的狀況入手是想戳穿一個錯誤觀念：即錢能解決一切問題。因為許多人都這樣認為，所以當我聽到人們問我「怎樣才能快速致富，應當從哪兒開始」時，我常會感到擔心。我也常聽人說：「我欠了債，所以我得掙錢。」

但更多的錢往往不能解決問題，實際上它可能使問題變得更加嚴重。錢常常使我們人性中的弱點顯露，錢不能掩蓋我們的無知。這就是為什麼經常有些人在忽然得到一大筆意外之財，譬如遺產、加薪或中彩之後，卻又很快失去的原因——甚至有些人會比他得到那些錢之前的財務狀況更糟。錢只是使你頭腦中的現金流向圖的流向更加明顯，如果你的現金流向圖是把收入都花掉，那麼最可能的結果是增加了收入的同時也增加了支出。正所謂「錢愚弄人」。

我已說過多次，我們去學校學習以獲得學識和專業技能，這是十分重要的，我們需要學會用專業技能謀生。六〇年代，當我還念高中時，如果有人在學校裡學習好，馬上就有人認為這個聰明的學生將會成為一名醫生，而沒人會去問一問這個學生自己是否願意當醫生。據說，醫生這個職業反映了當時最好的職業待遇水平。

今天，醫生們也同樣面臨著我們都不希望面對的巨大財務挑戰：保險公司對行業的控制、健康保障條例的約束、政府的干預，和名目繁多的訴訟等等。所以現在的孩子們想成為籃球明星、像老虎．伍茲那樣的高爾夫球好手，或是電腦蟲、電影明星、搖滾明星、選美皇后或華爾街的交易員，而不願再去成為醫生或其他的什麼，因為這些在父母們看來不是職業的「職業」似乎會更出名、更有錢、更顯赫。這也是為什麼很難鼓勵今天的孩子們去學校的原因，他們知道職業上的成功不再完全與學習成績相關了，儘管兩者曾經是那樣的相關。

同時，由於學生們沒有獲得財務技能就離開了學校，成千上萬受過教育的人追求到了職業上的成功，卻最終發現他們仍在財務問題中掙扎。他們努力工作，但並無進展，他們所受的教育不是如何掙錢，而是如何花錢，這麼生了所謂的理財態度——掙了錢後該怎麼辦？怎樣防止別人從你手中拿走錢？你能多長時間擁有這些錢？你如何讓錢為你工作？大多數人不明白為什麼他們會身處財務困境，因為他們不明白現金流。一個人可能受過高等教育而且事業成功，但也可能是財務上的文盲。這種人往往比需要的更為努力地工作，因為他們知道應該如何努力工作，但卻不知道如何讓錢為他們工作。

發財夢變成惡夢的故事

下面的動態圖顯示了努力工作的人們所具有的圖式。一對剛結婚、受過高等教育的新婚夫婦住在一套擁擠的租來的公寓裡，很快，他們意識到他們在省錢，因為兩個人的開銷和一個人的差不多。

問題是，公寓太擠了，於是他們決定省錢買一棟自己夢想中的房子，這樣他們就能有孩子了。現在，他們有兩份收入，並開始專心於事業，他們的收入開始增加，隨著收入的增加……

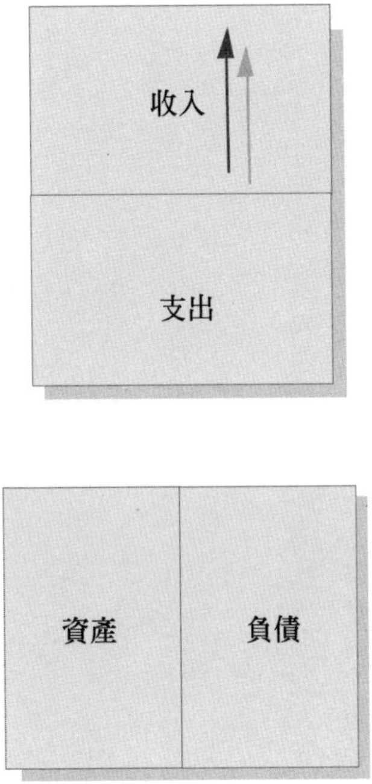

支出也增加了。

對大多數人而言，第一項支出是稅。許多人以為是所得稅，但對大多數美國人而言，最高的稅是社會保障稅。作為一名雇員，表面上社會保障稅和醫療稅共約7.5%，實際上卻是15%，因為雇主必須為你付15%的社會保障金。關鍵是，雇主並不會拿自己的錢去為你支付的，實際上他所支付的，都是你所應得到的。此外，你還得為你工資已扣除的社會保障稅再繳所得稅，而這種所得是你從來就沒有得到過的，因為它們透過「預扣」，老早就直接進入了社會保障體系之中。

接著，他們的債務開始增加。

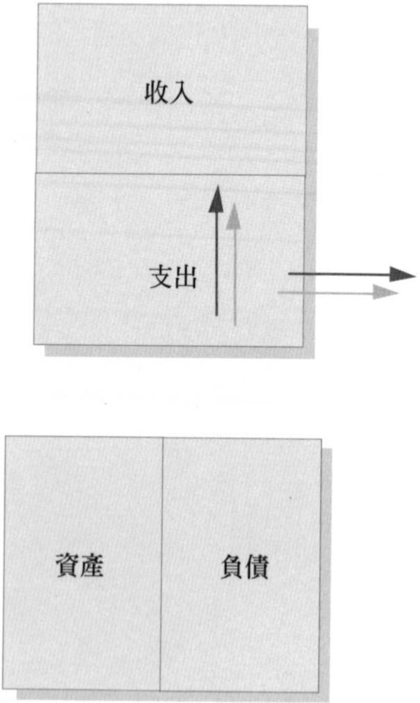

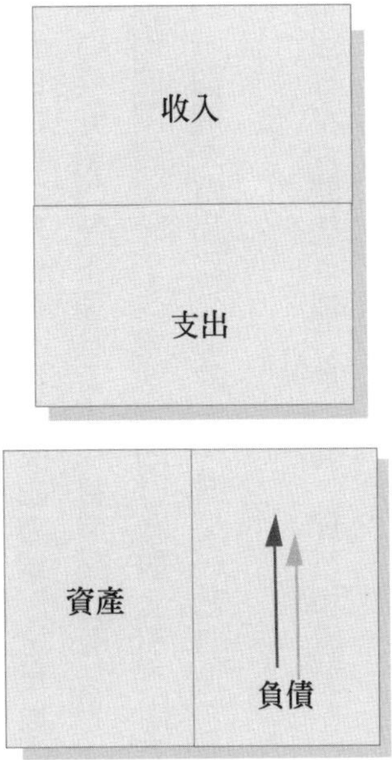

上圖是對這對年輕夫婦的最好描述：隨著收入的增加，他們決定去買一棟自己的房子。一旦有了房子，他們就得繳稅——財產稅，然後他們買了新車、新家具等，去和新房子配套。最後，他們突然發覺已身陷抵押貸款和信用卡貸款的債務之中。

他們落入了「老鼠賽跑」的陷阱。不久孩子出生了，他們必須更加努力地工作。這個過程繼續輪迴下去，錢掙得越多，稅繳得也越多，他們不得不最大限度地使用信用卡。這時一家貸款公司打電話來，說他們最大的「資產」——房子已經被評估過了，因為他們的信用記錄是如此之好，所以公司可提供「賬單合併」貸款，即用房屋作抵押而獲得的長期貸款，這筆貸款能幫助他們償付其他信用卡上的高利息消費貸款，更妙的是，這種房屋抵押貸款的利息將是免稅的。他們覺得真是太幸運了，馬上同意了貸款公司的建議，並用貸款付清了信用卡。他們感覺鬆了一口氣，因為從表面上看，他們的負債額降低了，但實際上不過是把消費貸款轉到了房屋抵押貸款上。他們把負債分散在三十年中去支付了。這真是件聰明事。

過了幾天，鄰居打電話來約他們去購物，說陣亡將士紀念日商店正在打折，他們對自己說：「我們什麼也不買，只是去看看。」但一旦發現了想要的東西，他們還是忍不住又用那剛剛付清了的信用卡付了款。

我常有機會結識這種年輕夫婦，他們名字不同，但窘境卻是如此的相同。他們來問我：「你能告訴我們怎樣掙更多的錢嗎？」他們的支出習慣讓他們總想尋求更多的錢。

他們甚至不知道他們真正的問題在於他們選擇的支出方式，這是他們苦苦掙扎的真正原因。而這種無知就在於沒有財務知識以及不理解資產和負債間的區別。

再多的錢也不能解決他們的問題，除了改變他們的財務觀念和支出方式以外，再也沒有什麼可以救他們的了。我的一個朋友對那些欠債的人一遍又一遍地說：「如果你發現你已在洞裡，那就別再挖了。」

當我還是孩子時，爸爸說日本人關注三種力量：劍、寶石和鏡子。

劍象徵著武器的力量。美國人在武器上已經花了上千億美元，是世界上的超級軍事大國。

寶石象徵著金錢的力量。就如一句格言所說：「記住黃金規則：有黃金的人制定規則。」

鏡子象徵著自知的力量。而在日本人看來，自知是三種力量中最寶貴的。

窮人和中產階級就經常讓金錢的力量控制他們。他們起床工作，卻不問自己這樣做的意義；每天為錢去工作，但並不真正懂得錢。於是大多數人就讓錢來控制了他們，與他們對抗。

如果他們有一面鏡子，也許會對鏡自問：「這有意義嗎？」但通常是，人們不相信他們自己內在的智慧，而只是隨波逐流，人云亦云。他們做一些事是因為其他人這麼做，他們總是服從而不去提問。對於「分期付款」、「你的房屋就是你的資產」、「你的房屋是你最大的投資」、「欠債可以抵稅」、「找一個穩定的職業」、「別犯錯誤」、「別冒險」之類的話，他們一概接受，從不質疑。

很多人認為在公司面前說話比死還可怕。照精神病學的說法，害怕在公司面前說話是因為害怕被排斥、害怕冒尖、害怕被批評、害怕出錯、害怕被逐出。簡言之，是害怕與別人不同，結果是阻礙了人們去想新辦法來解決問題。

這也就是我那受過教育的爸爸所說的「日本人最重視鏡子的力量」的原因，因為只有當他們看鏡子時，才能發現真相，即大多數人談「穩定」的原因是出於恐懼。其他事也一樣能借助鏡子來看清，如運動、社會關係、職業和金錢等。

正是由於這種恐懼，即害怕被排斥的心理，使人們服從而不去質疑那些被廣泛接受的觀點或流行的趨勢：「你的房子是資產」、「用一個貸款來結束其他負債」、「努力工作」、「提升」、「有一天我會成為副總統」、「存錢」、「加薪後我要買更大的房子」、「共同基金是最安全的」等等。

大多數人的財務困境是由於隨波逐流，簡單地跟從其他人所造成的。因此我們都需要不時地照照鏡子，去相信我們內在的智慧而不僅只是恐懼。

邁克和我十六歲時，我們在學校有了麻煩。我們不是壞孩子，只是開始遠離人群。我們在周末及平時放學後為邁克的爸爸幹活，幹完活後，我們會花幾個小時坐在一邊聽他爸爸和銀行經理、律師、會計師、經紀人、投資商、經理和員工開會。邁克的爸爸十三歲就離開了學校，現在卻指揮和命令著一群受過良好教育的人。他們對他唯命是從，並且當他對某個問題表示不滿時畏懼不已。

富爸爸不是一個隨波逐流的人，他是一個善於獨立思考的人。他憎惡「我們必須這麼做，因為其他人都這麼做」這類的話，他也憎惡「不能」這個詞。如果你想讓他做什麼，一個有效的方法就是對他說：「我想你辦不了這件事。」

邁克和我透過參加富爸爸開的各種會議學到了不少的東西，甚至在某些方面比在學校裡包括大學裡學到的都要多。邁克的爸爸沒有受過高等學校教育，但他有很多的財務知識並且最終獲得了成功。他曾一遍又一遍地對我們說：「聰明人總是雇用比他更聰明的人。」所以，我和邁克時常有幸花幾個小時聽那些聰明人說話並向他們學習。

因此，邁克和我很難遵循老師所教的那些傳統的教條，這樣問題就來了。當老師說「如果你得不到好成績，在社會上也幹不好」時，我和邁克就皺起了眉頭。當我們被告知要遵循既定的程式、不要偏離規矩時，我們看到這種學校的程式是如何扼殺創造性的。我們開始明白為什麼富爸爸說學校是生產好雇員而不是好雇主的地方。

邁克和我經常問我們的學校老師，我們所學的東西為什麼不實用，或是問為什麼我們不學習有關錢的知識及其運動規律。對後一個問題，我們得到的回答常常是錢並不重要，如果我們學習優秀，錢自然會來的。

我們對錢的力量知道得越多，就與老師和同學的距離變得越遠。

我那受過高等教育的爸爸從不對我的成績施加壓力，這使我時常感到驚訝，但我們為錢的事爭論過。我想在十六歲時，我就已經有了比爸媽更多的財務基礎知識。因為我經常看書，經常聽審計師、企業律師、銀行家、房地產經紀人、投資人的談話，而爸爸每天只同老師們談話。

一天，當爸爸告訴我我們的房子是他最大的投資時，一場不太愉快的爭論發生了。當時我對他說我認為一棟房子並非是一個好的投資。

下圖反映了我的富爸爸和窮爸爸在房子問題上的不同觀念，一個認為他的房子是資產，另一個則認為是負債。

我還記得我畫了下面這張圖向爸爸說明他的現金流向，我也向他指出了擁有房子後帶來的附屬支出。房子越大支出就越大，現金會不斷地流出。

富爸爸

資產	負債
	房子

窮爸爸

資產	負債
房子	

今天，我仍在向房子是資產的觀念挑戰。我知道對許多人來說，房子是他們的夢想和最大投資，而且有自己的房子總比什麼都沒有強，但我仍想用另一種思想來替代這一教條。我的妻子和我也喜歡大而時髦的房子，但我們知道那不是一項資產，由於它使錢從我們口袋中流出去，所以它是一項負債。

因此我提出這個論點。我並不想讓所有人都同意我的觀點，因為房子畢竟是人們感情的寄託。此外，對於錢的熱中會降低財務方面的理智，我的個人經歷告訴我，錢能使決策變得

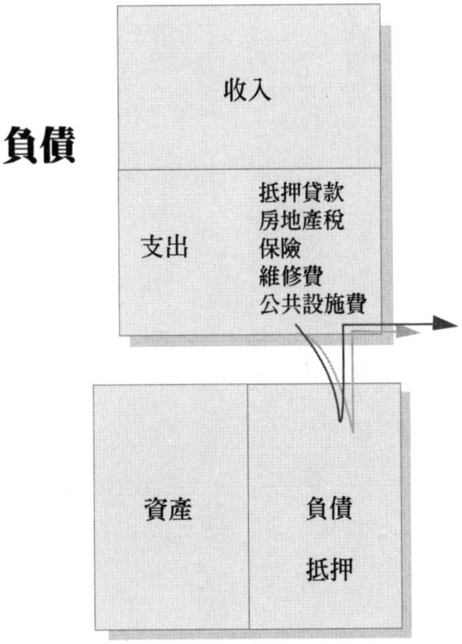

情緒化。

一、對於房子，我要指出大多數人一生都在為一棟他們並未真正擁有的房子而辛苦地工作。換句話說，大多數人每隔幾年就買一棟新房子，每次都用一份新的三十年期的貸款償還上一筆的貸款。

二、即使人們從房屋抵押貸款的利息中得到了免稅的好處，他們還是要先還清各期貸款後，才能以稅後收入支付各種開支。

三、財產稅。我妻子的父母每月要為他們的房子繳納高達一千美元的財產稅，這是他們退休後要繳的一項稅款，這種稅賦使他們的日子很緊張，他們時常感到就要被迫搬離了。

四、房子的價值並不總是上升。一九九七年，我的一位朋友有一棟價值一百萬美元的房子，而今天他的這棟房子只值七十萬美元了。

五、最大的損失是機會損失。如果你所有的錢都被投在房子上，你就不得不努力工作，因為你的現金正不斷地從支出項流出，而不是流入資產項，這是典型的中產階級現金流模式。正確的做法應該是怎樣的呢？如果一對年輕夫婦早點在他們的資產項中多投些錢，以後幾年他們就會過得輕鬆些，尤其是他們準備把孩子送入大學的話。因為資產項中的投資會使他們的資產不斷增加，自動彌補支出。而先投資買下一棟大房子的做法只不過是取得抵押貸款以支付不斷攀升的開支，其結果不過是拆了東牆補西牆。

總之，決定擁有很昂貴的房子，而不是早早地開始證券投資，將對一個人的財務生活在以下三個方面形成衝擊：

一、失去了用其他資產增值的時機。

二、本可以用來投資的資本將用於支付房子的各種高額、長期開支。

三、失去受教育機會。人們經常把他們的房子、儲蓄和退休金計劃列入他們的資產專案。因為他們無錢投資，所以也就不去投資，這就使他們無法獲得投資經驗，並永遠不會成為投資界認可的「成熟投資者」。而最好的投資機會往往都是先給那些「成熟投資者」，再由他們轉手給那些謹小慎微的人的，當然，在轉手時他們已經拿走了絕大部分的利益。

我那受過教育的爸爸的財務狀況，最好地說明了過著「老鼠賽跑」式生活的人的經濟狀況。他們總是量入為出，根本沒可能去投資。結果，他們的負債，譬如抵押貸款、信用卡貸款總是比他們的資產還多。下面的圖示簡練地解釋了這種情況：

富爸爸的狀況反映了進行投資和減少負債的結果。

窮爸爸的財務狀況

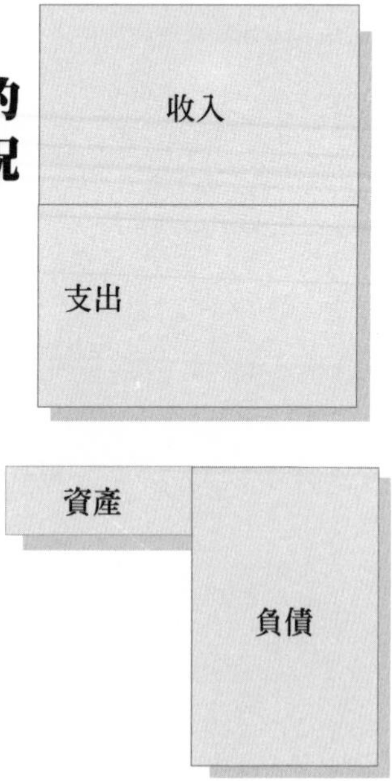

富爸爸的財務報表還說明了為什麼富人會越來越富。資產專案產生的收入遠可彌補支出，並且可以用剩餘收入對資產方進行再投資。隨著投資的積累，資產會越來越多，相應地收入也就越來越多，從而形成良性迴圈。

其結果是：富人越來越富！

富爸爸的財務狀況

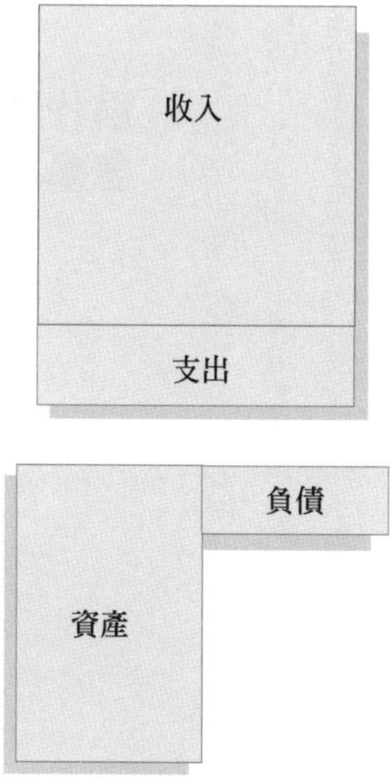

中產階級發現自己總是在財務問題上掙扎，原因何在呢？中產階級的主要收入是工資，而當工資增加的時候，稅收也就增加了，更重要的是他們的支出傾向也隨著收入的增加而同等增加。他們把房子作為主要資產反覆進行投資，而不是投資於那些能帶來收入的真正的資產上。

爲什麼富人愈來愈富

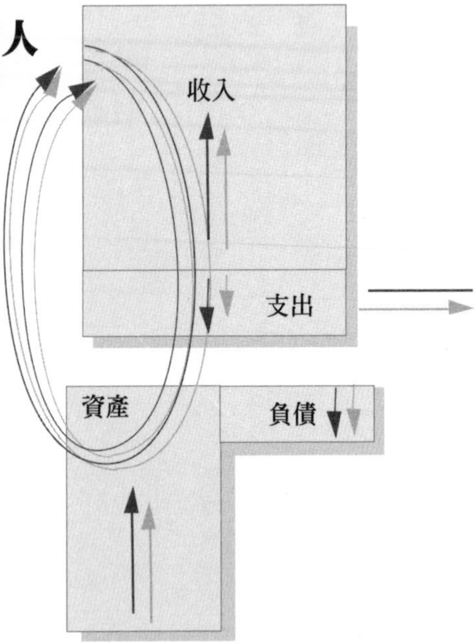

爲什麼中產階級無法擺脫財務問題

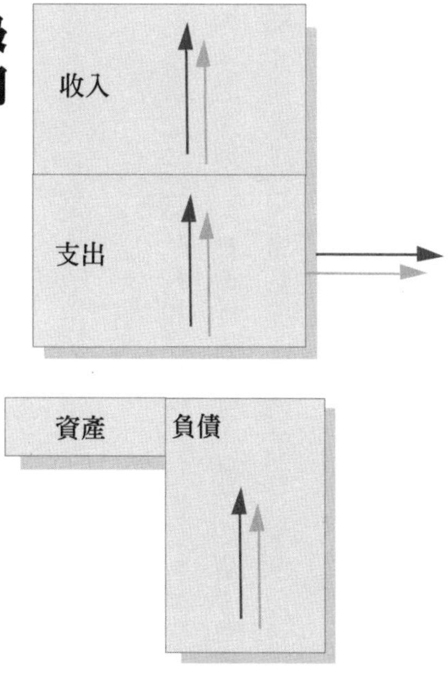

這種把房子當資產的想法和那種認為錢越多就能買更大的房子或消費得更多的理財哲學就是形成今天債臺高築的社會基礎。過多的支出把家庭拖入到債務和財務不確定性的旋渦之中，這種情形甚至發生在人們工作成績優秀和收入固定增長的時候，而這種高風險的生活正

是由於缺乏財務知識教育所造成的。

九〇年代經濟不景氣，人們大量失業，就已經表明了中產階級的財務狀況是多麼脆弱。公司養老金計劃突然被「401K計劃」所替代，社會保障體系明顯地陷入困境，不能再成為退休後的生活來源，恐慌在中產階級中產生。而今天來看這倒是件好事，許多人意識到這個問題並開始購買共同基金，投資增長在很大程度上帶動了股市的漸漸復甦，並且越來越多的共同基金被創立以滿足中產階級的投資需要。

共同基金因其風險小而大受歡迎。一般的基金購買人因為忙著去支付稅款和貸款、儲蓄孩子上大學的費用、償還信用卡等，根本無暇去研究如何投資，所以他們依賴於共同基金的管理專家來幫助他們投資。而且，因為共同基金投資多個專案，使他們感到風險被「分散化」了。

這些受過教育的中產階級贊成基金管理人提出的「風險分散」的說法，他們想安全運作，避開風險。

但真正的原因仍在於早年缺乏必要的財務知識教育，這也是普通中產階級被迫迴避風險的原因。他們必須安全操作，因為他們的經濟地位虛弱：他們的資產負債表從未平衡過，承擔著大量債務而且沒有能夠產生收入的真實資產。他們的收入來源只是工資，生活完全依賴於他們的雇主。

所以當名副其實的「關係一生的機會」來臨時，這些人無法抓住機會，他們必須保證安全，因為他們負擔著高額的稅和債務。

正如我在本章開始時所說的，最重要的規則是弄清資產與負債之間的差別，一旦你明白了這種差別，你就會盡力去只買入能帶來收入的資產，這是你走上致富之路的最好辦法。不斷地這樣做，你的資產就會不斷增加。同時還要注意降低你的負債和支出，這會讓你有更多的錢投入資產項。很快，錢就會多到可以讓你進行一些投機性的投資了，這些投資能產生從百分之百到無限的回報，五千美元的投資很快就能翻到一百萬或更多。這種中產階級稱為「太冒險」的投資實際上並無風險，只是因為你缺乏某些很重要的財務知識而不知道究竟該怎樣去看待這些投資機會。只要你擁有足夠的財務知識，你就不必害怕去「冒險」。

如果你和大多數人一樣，你就是下圖所展示的情況：

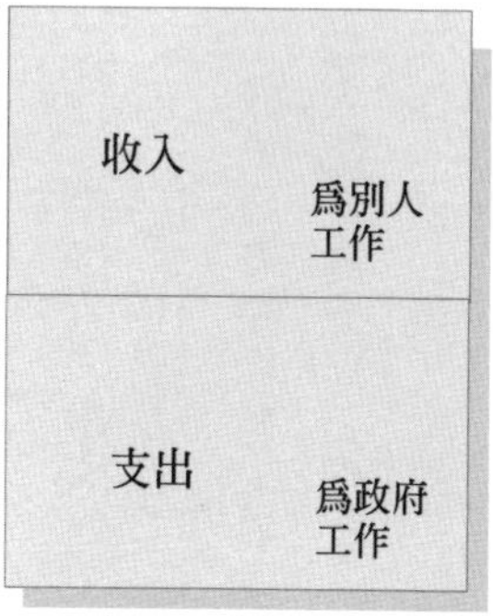

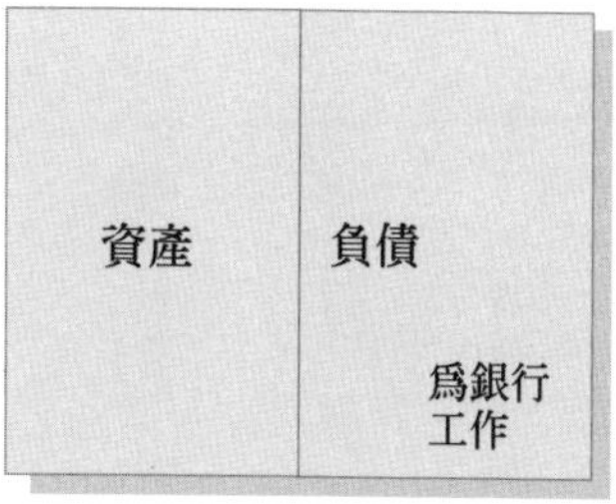

作為一個自己有房子的雇員，你努力工作的結果如下：

一、你為別人工作。就像大多數人為工資而工作一樣，你的努力使雇主或股東致富，你的工作和成功將使雇主成功並且可以提早退休。

二、你為政府工作。政府在你還未看見工資時就已拿走了一部分，努力工作只是使政府的稅收增加。大多數人都在為政府工作。

三、你為銀行工作。繳稅後，你的下一筆最大支出該是償還抵押貸款和信用卡貸款了。

問題是如果你只懂得工作努力，上面三方從你那兒拿走的勞動成果也就會越多。你需要學會怎樣才能使你的努力更多地、更直接地為你和你的家人帶來益處。

一旦你決定把精力集中於創建自己的事業，你該怎樣確立目標呢？對大多數人而言，他們的目標是保住他們的職業並依賴工資取得他們想要的資產。

隨著資產的增加，他們應怎樣衡量自己的成功呢？何時他們才能意識到他們是富人且擁有財富？如同我有自己的資產和負債定義一樣，我也有自己對於財富的定義。實際上這是我從一個名叫巴克敏斯特·菲萊的人那兒借用的。有人把他叫作騙子，而另一些人則稱他為天才，幾年前圍繞他在建築業有不少的流言。他在一九六一年曾申請了一種圓頂結構專利，在申請中，菲萊講了一些關於「財富」的話。起初這個定義的確令人迷惑，但是讀過後，你就開始有感覺了。他是這樣定義的：財富就是支援一個人生存多長時間的能力，或者說如果我今天停止工作，我還能活多久？

不像淨資產被定義為資產和負債間的差額那樣，儘管這種定義常常充斥於人們關於支出的廢話以及關於某物值多少錢的觀點中。財富的這一定義為發展一種新的真實準確的衡量方法創造了可能性，現在我能衡量並且明確知道自己經濟獨立的目標已實現到哪一步了。

淨資產通常包括那些非現金資產，就像你買回後堆在車庫裡的材料。財富則衡量你的錢正在掙多少錢，以及你的財務生存能力。

財富是將資產項下產生的現金流與支出項下流出的現金流進行比較而定的。

讓我們來看個例子。譬如說我的資產每月可產生一千美元，可是我每月卻要支出兩千美元，那我還有什麼財富可言呢？

讓我們回到巴克敏斯特·菲萊的定義，用他的定義，我還能活幾天呢？假定一個月三十天，按這個定義，我只能活半個月。

當我每月從資產項可得兩千美元時，那我就有財富了。

當然我並不富有，可是我有財富了。現在每個月我從資產項得到的現金流與支出等量。如果我想增加支出，我首先必須增加資產項產生的現金流來維持我的財富水平。注意，這時我不再依賴工資，如果我辭職了，我每月還能用資產項產生的現金流維持支出，也就是說我仍能夠生存。

我的下個目標是從資產中得到多餘現金再進行投資。流入資產項的錢越多，資產就增加得越快；資產增加得越快，現金流入得就越多。只要我把支出控制在資產所能夠產生的現金流之下，我就會變富，就會有越來越多除我自身勞動力收入之外的其他收入來源。

隨著這種再投資過程的不斷延續，我最終走上了致富之路。

請記住下面這些話：

富人買入資產；

窮人只有支出；

中產階級買他們以為是資產的負債。

那麼我該怎樣開始我的事業呢？請聽麥當勞的創立者怎麼說。

Chapter four

Lesson Three

Mind Your Own Business

第三課:

關注自己的事業

第四章　第三課：關注自己的事業

一九七四年，麥當勞的創始人雷·克羅克，被邀請去奧斯汀為德克薩斯州立大學的工商管理碩士班作講演，我的一個好朋友基思·坎甯安正是這個班上的一名學生。在一場激勵人心的講演之後，學生們問雷是否願意去他們常去的地方一起喝杯啤酒？雷高興地接受了邀請。

當這群人都拿到啤酒之後，雷問：「誰能告訴我我是做什麼的？」

「當時每個人都笑了，」基思說：「大多數MBA學生都認為雷是在開玩笑。」見沒人回答他的問題，於是雷又問：「你們認為我能做什麼呢？」

學生們又一次笑了，最後有一個大膽的學生叫道：「雷，所有人都知道你是做漢堡的。」

雷哈哈地笑了，「我料到你們會這麼說。」他停止笑聲並很快地說，「女士先生們，其實我不做漢堡業務，我的真正生意是房地產。」

基思說雷花了很長時間來解釋他的話。雷的遠期商業計劃中，基本業務將是出售麥當勞的各個分店給各個合夥人，他一向很重視每個分店的地理位置，因為他知道房產和位置將是每個分店獲得成功的最重要因素，而同時，當雷實施他的計劃時，那些買下分店的人也將付錢從麥當勞集團手中買下分店的地。

麥當勞今天已是世界上最大的房地產商了，它擁有的房地產甚至超過了天主教會。今天，麥當勞已經擁有美國以及全世界其他地方的一些最值錢的街角和十字路口的黃金地段。

基思說那是他一生中最重要的一課。今天，基思擁有了洗車場，但他最重要的業務卻是經營洗車場的地點。

前一課，我們用圖說明大多數人為除了他自己以外的其他人工作，首先是為公司老闆工作，其次是為政府工作，最後是為償還貸款而為銀行工作。

小時候，我家附近可沒有麥當勞。然而，我的富爸爸卻向邁克和我傳授了如同雷・克羅克向德克薩斯州立大學的ＭＢＡ學生們所教授的課程一樣的知識，這就是致富的第三號秘訣。

第三號秘訣是：「關注自己的事業」。存在財務問題的人經常是一生為別人工作的人，許多人在他們停止工作時就變得一無所有。

一幅圖勝過了千言萬語。下面是一張利潤表和一張資產負債表，它們能最好地描述雷・克羅克的思想。

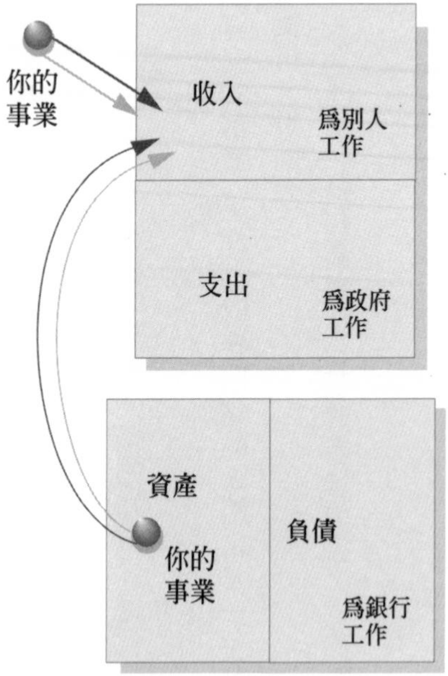

我們當前的教育體系能夠使今天的年輕人學好一門技能並且得到一份好工作，他們的生活將圍繞工資或如前所說的收入專案進行。當學完一定的技能後，他們將去更高級別的學校培養職業能力，他們會被培養成為工程師、科學家、廚師、警官、藝術家、作家等等，這些職業技能使他們能加入勞動大軍並為錢而工作。

請注意，你的工作和你的事業之間存在著巨大的區別。我經常問一些人：「你的事業是什麼？」他們會說：「我是個銀行職員。」接著我問他是否擁有銀行，他們常回答：「不是的，我在那兒工作。」

在這個例子中，他們混淆了自己的職業和事業，他們可以是銀行家，但他們仍應有自己的事業。雷・克羅克對他的職業和事業之間的區別很清楚，他的職業總是不變的：是個商人。他賣過牛奶攪拌器，以後又轉為賣漢堡，而他的事業則是積累能產生收入的地產。

學校的問題是經常把你變成你所學專業的人員。如果你學的是烹調，你就會成為一名廚師；如果你學的是法律，你就會當上律師；如果你學的是自動化，你就會當上機械師。變成你所學專業的人員的可怕後果在於太多的人因此而忘了去關注自己的事業，他們耗費一生去關注別人的事業並使他人致富。

為了財務安全，人們需要關注自己的事業。你的事業圍繞著的是你的資產，而不是你的收入。正如以前說過的，第一號規則是要知道資產負債之間的區別，並且去買入資產。富人關心的焦點是他們的資產而其他人關心的則是他們的收入。

這就是我們為什麼總是聽人說：「我需要加薪」、「我要是能得到升職該多好」、「我要回學校去再學習以便得到收入更高的工作」、「我要去加班」、「也許我能幹兩份工作」、「兩周內我將辭職因為我找到了一份工資更高的工作」等等。

在某些方面，這些都是明智的想法。但如果你聽了雷・克羅克的話，你就會發現你仍未關注你自己的事業，這些想法依然是圍繞著工資收入打轉。只有你把增加的收入用於購買可產生收入的資產時，你才能獲得真正的財務安全。

大多數的窮人或中產階級財務保守的基本原因在於：「我不能承擔風險」，這意味著他們的財務知識匱乏，他們必須依附於工作，他們必須安全運作。

當經濟衰退不可避免地來臨時，上百萬的工人發現他們的所謂最大的資產——房子，正要活活地吃掉他們！因為房子每個月都要花錢。汽車，他們的另一項「資產」，也在吞噬他們的生活。花一千美元買來的高爾夫球桿被扔在車庫裡，現在已不值一千美元了。沒有了職業保障，他們就失去了生活依靠。他們所認為的資產不能幫他們度過財務危機。

我猜想我們中的大部分人都填過信貸申請表給銀行，以獲得貸款購買房子或汽車。看看所謂的「淨資產」是十分有趣的，之所以有趣是因為我們的銀行會計實務允許人們把房子和汽車計為資產。

一天，為了獲得一筆貸款，由於我的財務狀況看似不佳，於是我買了新的高爾夫球桿，買了藝術收藏品、音響、電話、阿曼尼西裝、手錶、鞋和其他個人用品以增加資產方的數目。

最後我的貸款申請還是被拒絕了，原因是我在房地產方面的投資太多。信貸委員會不喜歡我從房地產投資中獲取收入，他們只想知道為什麼我沒有一份能掙到薪水的正式工作。他們也不問阿曼尼西裝、高爾夫球桿或藝術收藏品是哪裡來的。當你不符「標準」時，生活將是嚴峻的。

每次當我聽到某人說他的淨資產是一百萬或十萬美元或其他數字時都有點害怕。一個主要的原因是淨資產價值不是一個準確的東西，不僅如此，當你開始出售資產時，你甚至還得為因此帶來的收入而繳稅。

所以許多收入不足的人更容易陷入財務困境。為增加現金，他們不得不出售資產。首先，他們個人資產的賣價只是他們在資產負債表上列支數字的一小部分；其次如果有收益，他們還要繳稅，也就是說每賣一次，政府就會從他們的收益中拿走一份，從而減少了可用來幫助他們擺脫債務的現金。這就是我為什麼說某人實際上的淨資產要比他們自己認為的要少得多的原因了。

關注你自己的事業並繼續你每天的工作。你可以買些房地產，而不是負債或買一些一旦被你帶回家使用就沒有了價值的個人用品。一旦你把一輛新車開出停車場，你就已損失了25%的車錢。汽車不是真正的資產，即使你的銀行經理讓你把它列在資產項下。當我用過一次價值四百美元的新的高爾夫球桿時，它就只值一百五十美元了。

對成年人而言，把支出維持在低水平，減少借款和勤勞地工作會幫你打下一個穩固的資產基礎。對還未有自己房子的年輕人來說，父母應教他們明白資產和負債之間的區別，讓他們在離家、結婚、買房、有孩子、在高風險的金融交易中下注或依附於工作和貸款買任何東西之前建立起堅實的資產基礎，這是非常重要的。我見過許多年輕夫婦，由於他們並不能分清資產和負債，結婚後不久就陷入了以後大部分年月內都無法擺脫債務的生活方式中。

對大多數人而言，當最小的孩子離開家時，父母才意識到他們還沒有為退休作好足夠的準備。接著，他們自己的父母又病了，他們發現自己又背上了新的負擔。

那麼，你或你的孩子們應獲得什麼樣的資產呢？依我看，真正的資產可分為下列幾類：

一、不需我到場就可以正常運作的業務。我擁有它們，但由別人經營和管理。如果我必須在那兒工作，那它就不是我的事業而只是我的職業了；

二、股票；

三、債券；

四、共同基金；

五、產生收入的房地產；

六、票據（借據）；

七、專利權如音樂、手稿、專利；

八、任何其他有價值、可產生收入或可能增值並且有很好的流通市場的東西。

還是孩子的時候，我受過教育的爸爸鼓勵我找份安定的工作，而富爸爸則鼓勵我開始獲得我所喜愛的資產，「因為如果你不愛它，就不會關心它。」我購入房地產是因為我喜歡建築物和土地，我喜歡買它們，我可以整天看著它們，當出現問題時，也不會糟到使我不再喜愛房地產。但對於那些本來就憎惡房地產的人來說，投資房地產顯然並不是一個好主意。

我喜歡小公司的股票，尤其是剛成立的公司，原因是我是一個企業家而不是一個雇員。早年，我也曾在一些大機構工作，如加利福尼亞標準石油公司、美國海軍陸戰隊和施樂公司，在這些機構做事曾為我留下了愉快的記憶。但我深知我不是個公司職員，我喜歡開辦公司但不去經營它們，所以我買的股票都是小公司的。有時我甚至自己創辦小公司並把它們上市，使財富從新股票的發行中產生。我喜愛這種遊戲。許多人害怕小的、沒名氣的公司，認為它們風險大。小公司的風險是大，但是如果喜愛你所投資的物件，瞭解它並懂得遊戲規則，風險就會減少。對於小公司，我的投資策略是：一年內脫手。另一方面我的房地產投資策略則是從小買賣開始並一點點做大，條件允許的話儘量晚一些出手，這樣做的好處是可以推遲繳納所得稅，從而使資產可能戲劇般地增加。我通常持有房地產在七年以上。

多年來，甚至我還在海軍陸戰隊和施樂公司做事的時候，我就開始做富爸爸建議我做的事。我上班，但我也關注自己的事業，我通過買賣小公司的股票和房地產，使我的資產變得非常活躍。富爸爸總是強調財務知識，他說，你對會計和現金管理懂得越多，你就能更好地進行投資分析並開始建立自己的公司。

我並不鼓勵那些不想建立自己公司的人也去這麼做，我也不希望每個人都去經營公司。不過，有時當人們無法找到工作時，開個公司倒是個解決的辦法，但並不一定能獲得成功：十家新公司有九家會在五年內倒閉，那些在頭五年存活下來的公司又會有十分之九最後會倒閉。所以只有當你的確願意擁有自己的公司時，你再去做我建議的事。否則，就繼續上班的同時關注自己的事業吧。

當我說關注自己的事業時，我的意思是建立自己強大的資產。想想看，一旦一美元落進了你的資產項，它就成了你的雇員。關於錢，最妙的是能讓它一天二十四小時工作並為你的幾代人服務。記住：做一個努力工作的雇員，確保你的工作，但要不斷構築你的資產項。

當你的現金流增加時，你可以買一點奢侈品，一個重要的區別是富人最後才買奢侈品，而窮人和中產階級會先買下諸如大房子、珠寶、皮衣、寶石、遊艇等奢侈品，因為他們想看上去很富有。他們看上去的確很富有，但實際上他們已深陷貸款的陷阱之中。那些總是有錢的人，那些能長期富裕的人，都是先建立他們的資產，然後才用資產所產生的收入購買奢侈品，窮人和中產階級則用他們的血汗錢和將留給孩子們的遺產購買奢侈品。

真正的奢侈品是對投資和積累真正資產的獎勵。例如，當我和妻子透過買賣房屋獲得了額外收入時，她去買了輛賓士，這不是增加她的工作或冒著風險買下的。然而，當房地產投資升值並最終有足夠的現金流入足以購買這輛車之前，她等了四年的時間。這奢侈品的確是個獎勵，因為它證明了她知道如何增加自己的資產，那輛車對她的意義已不僅是一輛車，而是意味著她能用自己的財務知識得到它。

大多數人所做的則是衝動地用貸款去買輛新車或其他奢侈品，他們可能厭煩了，所以期待有點新玩意兒。用貸款買奢侈品會使人們遲早放棄那東西，因為買奢侈品借的債是個大負擔。

在你花時間投資建立自己的事業後，你就準備好去接觸那神奇的秘密吧——富人的最大秘密。這個秘密鋪平了致富之路，路的盡頭有對你付出時間和勤奮關注你自己事業的回報。

Chapter five

Lesson Four
The History of Taxes and The Power of Corporations

第四課:
稅收的歷史和公司的力量

第五章　第四課：稅收的歷史和公司的力量

我還記得在學校裡曾聽過羅賓漢和他的綠林好漢的故事，我的老師認為羅賓漢是一個典型的浪漫英雄、一個劫富濟貧的「大俠」。但我的富爸爸卻認為羅賓漢不是英雄，他稱羅賓漢為竊賊。

羅賓漢已經死了很久了，但他的門徒甚多。我經常會聽到這樣的話：「為什麼不讓富人來承擔」或「富人應繳更多的稅讓窮人得益。」

而今，羅賓漢劫富濟貧的想法卻成了窮人和中產階級最大的隱痛。由於羅賓漢的理想，中產階級現在承擔著沉重的稅負。富人實際上並未被徵稅，是中產階級尤其是受過教育的高收入中產階級在為窮人支付稅金。

要講清這個道理，我們需要回顧一下歷史——稅收的歷史。我那受過高等教育的爸爸是歷史學方面的專家，而富爸爸則使自己成為了一名受歡迎的稅收歷史方面的專家。

富爸爸告訴邁克和我，早期的英國和美國是不須納稅的，只有一些為戰爭而臨時徵收的稅，國王和總統稱之為「納捐」。英國在一七九九年到一八一六年間為了與拿破崙作戰而徵稅，美國則在一八六一年到一八六五年間為了應付內戰而徵稅。一八七四年，英格蘭規定納稅是國民的長期義務。一九一三年，美國通過了憲法修正案（第十六條），規定了所得稅的徵收合法。美國人曾經反對納稅，過重的茶稅引發了波士頓港的茶黨成立和獨立戰爭的爆發。英國和美國花了幾乎五十年來培養公司的所得稅納稅意識。

這些稅最初只是針對富人，這一點富爸爸希望邁克和我明白。他解釋說納稅的方法是由大眾制定的並經多數人同意，它要讓窮人和中產階級看到稅收是為了懲罰有錢人，因此，大眾投了贊同票，並將依法納稅寫入了憲法。而初衷是懲罰有錢人的稅收，在現實中卻懲罰了對它投贊同票的中產階級和窮人。

「一旦政府嘗到了錢的滋味，它的胃口就變大了。」富爸爸說：「你爸和我在這一點上是對立的。他是政府官員，而我是資本家，我們都得到了報酬，但我們對成功的衡量標準卻相反。他的工作是花錢和雇人，他花的錢越多和雇的人越多，他的機構就會越大。在政府中，誰的機構越大，誰就越受尊敬。而在我的組織中，我雇的人越少，花的錢越少，我就越能受到投資者的尊敬。這就是我為何不喜歡政府官員的原因，他們與大多數生意人的目標不同。隨著政府規模的擴大，政府需要徵收更多的稅以維持政府的運營。」

我受過教育的爸爸真誠地相信政府應該幫助人民。他熱愛並且崇拜約翰・甘迺迪，尤其推崇甘迺迪的和平隊計劃。他是如此推崇這個計劃以致於他和媽媽都在和平隊工作，培訓去馬來西亞、泰國和菲律賓的志願者。他總在尋求撥款和增加預算以便能雇更多的人為他所在的教育部和和平隊工作。

從我十歲起，我就從富爸爸那兒聽說政府人員是偷懶的竊賊，而窮爸爸卻說富人是貪婪的強盜，富人應該繳更多的稅。我相信雙方都有其正確的地方，然而，為鎮上最大的資本家工作和生活在作為傑出政府官員的爸爸家，這兩件事糾結在一起，顯然已經變得越來越難以協調了。

然而，當你研究稅收歷史時，一個有趣的現象產生了。如前所述，稅之所以被接受是因為大眾相信羅賓漢的經濟理論，即劫富濟貧。問題是，政府的社會保障體系和各項開支越來越大，以致於中產階級也要被徵稅，且稅收水平不斷攀升。

另一方面，富人則看到了機會，他們不按同一套規則來運作。正如我所說的，他們非常瞭解公司的魔力，而公司在商品經濟時代正變得日益普遍。富人創辦了公司來限定其資產的風險，就像用一條船去航行，富人把錢投入到公司這條「船」去航行，公司則雇一批職員（船員）把船駛向「新世界」去尋寶。一旦船沉了，船員會喪生，但富人損失的僅限於他投資的金錢。下圖顯示出公司與個人的收入表和資產負債表無關。

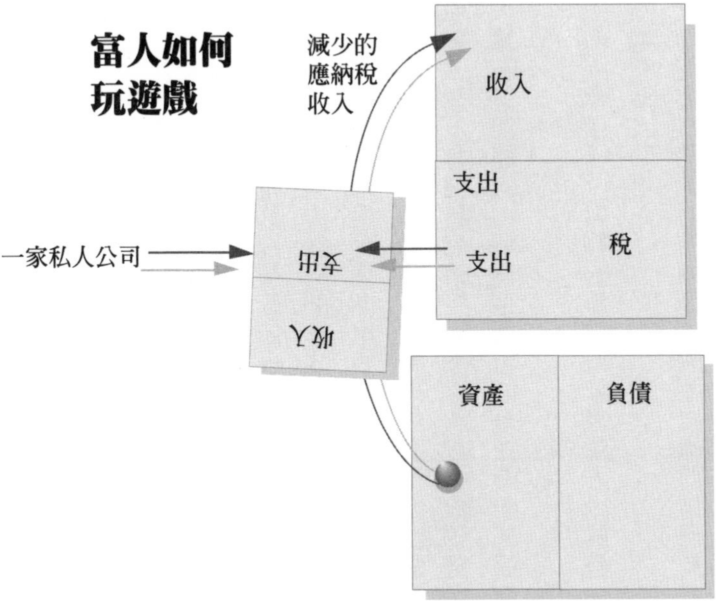
富人如何
玩遊戲
減少的
應納稅
收入
收入
支出
一家私人公司
支出
收入
支出
稅
資產
負債

有關企業的法律知識給予了富人超出窮人和中產階級的極大優勢。由於有兩個爸爸在教我，一個是政府官員，另一個是企業家，我很快便認識到企業家的哲學對我積聚財富更有意義。看起來大多數人是在懲罰他們自己，由於他們缺少財務知識，無論「劫富」的呼聲多高，富人總有辦法從中脫身，這就是為何稅最後總是落到了中產階級頭上的原因。富人勝過那些聰明的受過教育的人，只因為他們明白錢的力量，這是學校不曾教過的科目。

有錢人是怎樣勝過某些有專業知識的人的呢？一旦「劫富」的稅法被通過，錢便開始流入政府。起初人們很高興，可是錢卻被政府分配給了雇員和富人。稅金透過工作和養老金的形式發放給了政府雇員，透過政府採購的形式付給了富人。政府成了一個巨大的錢庫，但問題是還有預算管理，這不是一個自動迴圈重複的系統。換句話說，政府的政策是，如果你是一個政府官員，就應避免擁有過多的錢；如果你沒有用完預算資金，在下次預算中你就有被削減掉這些錢的風險，你不會因為有節餘而被認為有效率並得到獎勵；為避免被削減預算資金，政府雇員會大量花錢和雇人，雖然這很可能是在浪費。而商人，則因為有節餘而被認為有效率。

隨著政府支出的不斷擴大，對錢的需求也越來越大，於是「劫富」的想法不再適用，稅賦也落到了中產階級和窮人頭上。

真正的資本家則利用他們的財務知識逃脫了。他們借助於公司的保護逃避稅收。公司的確保護富人，但是許多從未建立過公司的人卻不明白這個道理，因為公司並不一定是一個真正的實體，公司可以只是一些符合法律要求的文件，在政府註冊後就被放在了律師的辦公室裡。公司並不意味著要有刻著公司名稱的大樓、廠房和雇員，它可以只是一個沒有靈魂的法律實體，但富人的財富在這裡得到保護。一旦所得稅法被通過，成立公司就會流行起來了，因為企業所得稅率低於個人收入所得稅率。此外，公司的某些支出可以在稅前獲得抵減。

有為者和無為者之間的爭鬥已經進行了幾百年了，它是劫富的人與富人之間的鬥爭。任何時候、任何地方只要制定法律，就會發生這種鬥爭。鬥爭還會持續下去，吃虧的人一定是無知者，即那些每天起來勤奮工作並不假思索地付稅的人。但是如果他們明白了富人玩的遊戲，他們也會來玩，這樣他們就可以實現經濟自立。每次當我聽到父母勸說孩子去學校以便找個安定的工作時，我就會感到憂慮，因為一個有著穩定工作的雇員，若沒有財務頭腦，仍無法躲開財務上的陷阱。

今天的美國人每年要為政府工作五到六個月，他們得掙出足夠的稅錢。在我看來，這真是太長了。他們工作得越努力，付給政府的就越多，這也使我更加確信「劫富」想法的人到頭來是對付了他們自己。

每當人們想懲罰富人時，富人不僅不會接受反而要進行反擊，他們有錢、有能力、有願望去改變處境。他們決不會坐視不管，付出高稅，他們會想辦法把稅賦降至最低。他們雇請聰明的律師和會計師，他們說服政客們改變法律或是鑽法律的漏洞，他們有能力扭轉乾坤。美國的稅法允許人們採用合理的方法避稅，任何人均可運用這些方法，但也只有富人才常常使用這些方法，因為他們關心自己的事業。例如，《國內收入法》第一〇一三款，就允許銷售者對「為購買更貴的房地產而賣出現有房地產時」所獲得的資本利得推遲納稅。按照該規定房地產成了具有稅收優惠的投資工具，只要你不斷進行上述價值交換，你就無須納稅，直到你將房地產變現。不利用這些合法避稅手段的人會失去很多增加他們資產項的機會。

窮人和中產階級的能力不同，所以他們只能坐在那兒上他們該上的稅。現實情況令我深深震驚：竟有如此多的人在支付高稅的同時卻很少想到要使用合理合法的避稅手段。我有些開公司的朋友，他們發現要面對各式各樣的稅種，深感恐懼，於是放棄了各自的事業。儘管我知道這些，但也只好一年到頭從一月到五月中旬都在為政府打工，這價碼太高了。窮爸爸對此從不反抗，富爸爸也不反抗——但他做得更聰明，他利用公司——富人的最大秘密，來達到他的目的。

你可能還記得我從富爸爸那裡學到的第一課，那時我只是一個九歲的孩子，必須乖乖地坐著等他決定什麼時候與我談話，我坐在他的辦公室裡等他叫我，但他卻故意忽視我。他想讓我認識到他的力量並希望有一天我自己也能具有這種力量。跟他學習的這麼多年，他總在提醒我「知識就是力量」，而且錢越多，需要的知識也就越多，沒有知識，世界就會牽著你走。富爸爸經常提醒我和邁克，最大的敵人不是老闆或監工，而是稅賦，稅賦總想從你那裡拿走更多，如果你允許的話。

讓錢為我工作而不是我為錢工作，這是真正的力量。如果你為錢工作，你就把力量給了雇主；如果錢為你工作，你就能控制這種力量。

當我們掌握了讓錢為我們工作的道理，富爸爸就希望我們精於計算而不讓錢牽著我們走，此外，我們還需要瞭解法律。如果你對法律一無所知，你將很容易做錯事；如果你瞭解法律，你就可以充分利用法律賦予你的權利，實現自己的事業。這也是富爸為什麼要高薪雇請聰明的稅務師和律師的原因了——給他們的錢要比付給政府的少得多。「精於計算你就不會被別人牽著轉」是他給我上的最好的一課，我幾乎一生都在受用。富爸爸瞭解法律，因為他要做一個守法的公民，還因為他知道不懂法律的代價是多麼的昂貴。「如果你知道你是對的，就不會害怕受到攻擊」，哪怕你面對的是「羅賓漢」和他的「綠林好漢」們。

我受過高等教育的爸爸總是鼓勵我去一家大公司找個好工作。他的價值觀是：「順著公司的梯子，一步步往上爬」。他不知道，僅僅依賴雇主的工資，就永遠只能是一頭乖乖待擠的乳牛。

當我對富爸爸講了我爸爸的建議時，他笑了，「為什麼不當梯子的主人？」這就是他全部的話。

做為一個小孩子，我不明白富爸爸所說的擁有自己公司的含義，這似乎是一個嚇人的、遙不可及的念頭。雖然我為這話激動，但我的年紀不允許我去幻想這種可能，即大人們有一天會為我的公司工作。

事實上，如果不是富爸爸，我就準備接受我自己爸爸的建議了。正是富爸爸不時地提醒，使我擁有自己公司的念頭從來未曾消失，並使我走上了另一條道路。當我十五、六歲時，雖然當時我不知道我將怎麼做，但我知道我將不會繼續走我爸爸建議的那條路了，也就是我大多數的同學要走的路，這個決定改變了我的一生。

我二十多歲時，才開始真正實現富爸爸的建議。我當時剛離開海軍陸戰隊去了施樂公司，我掙了許多錢，但每次當我看著工資單時，我都感到失望，扣除額是如此之大，而且我越是努力工作，扣的就越多。當我更為成功時，我的老闆們談到了升職和加薪，此時，我彷彿聽到富爸爸在問我「你在為誰工作？你使誰富有了？」

一九七四年，當時我仍是施樂的雇員，我建立了我的第一個企業並且開始「關注自己的事業」。我的資產項中的資產並不多，但我決心使它增加，這些年來掙著被扣減的工資使我完全明白了富爸爸的建議。如果我繼續聽從我爸爸的建議，我已經可以看到我的將來。

許多雇主感到建議雇員關注他們自己的事業對其本職工作不利。對某些人來說，可以肯定的確如此，但對我而言，關注我自己的事業，增加資產，卻使我成為一名更好的雇員。我現在有了目標，我得起早貪黑勤奮工作，好攢錢開始房地產投資。夏威夷正在開發，大有發財機會。當我意識到我們剛開始繁榮後，我決定進行房地產投資。為了積累資產基礎，我賣出的施樂的機器更多了。因為我賣的越多，掙的錢也就越多，當然，我掙的越多，扣的也就越多，這可不是件振奮人心的事，但我可以藉由努力工作跳出作為一名雇員的陷阱。到一九七八年，我的銷售業績總是列在公司前五名，並常是第一名，儘管我一再受到公司的嘉獎，但我仍想跳出這場「老鼠賽跑」。

在不到三年的時間中，我在自己的小房地產公司裡掙到的錢比在施樂掙到的更多。而且我在自己的企業中掙到的錢，是完全為我所用的，這不像我去敲門推銷施樂機器時所掙的錢，富爸爸的話越來越有用了。不久我用我公司的收入買了我的第一輛保時捷，施樂的同事認為我是用工資買的，但事實上，我正在不斷地把工資投資在資產項，而用資產項為我生產出來的錢購買我想要的東西。

我的錢為我掙回更多的錢，在我的資產中，每一塊錢都是一名雇員，它們努力工作並帶回更多的雇員，而且還能用稅前收入為我購買新的保時捷。我仍在繼續努力為施樂工作，但同時，我的計劃也在按部就班地進行著，保時捷就是證明。

透過運用富爸爸教我的那些課程，我能夠在早期就走出「老鼠賽跑」咒語，而成功的原因就歸功於我從那些課程中所學到的財務知識。若沒有這些被我稱為財商（財務智商）Financial I.Q. 的知識——我的經濟自立之路將會困難得多。我現在在研討班上把這些知識教給其他人，我希望別人也能和我一起分享這些知識。無論何時我談到這些知識，我都提醒人們，財商是由四個方面的專門知識所構成的：

第一是會計，也就是我說的財務知識。如果你想建立一個自己的帝國的話，財務知識是非常重要的技能。你管理的錢越多，就越需要精確，否則這大廈就會倒下來。這是左腦要處理的，或者說是細節。財務知識能幫助你讀懂財務報表，借助這種能力你還能夠辨別業務的優勢和弱勢。

第二是投資，我稱為錢生錢的科學。投資涉及到策略和方案，這是右腦要做的事，或者說是創造。

第三是瞭解市場，它是供給與需求的科學。這要求瞭解受感情驅動的市場的「技術面」。一九九六年耶誕節的Tickle Me Elmo玩具娃娃（「呵癢艾默」乃電視節目「芝麻街」中的紅色絨毛卡通玩偶）大獲成功就是一個受技術與情感影響的市場的最佳佐證。市場的另一個因素是「基本面」，或者說是一項投資的經濟意義。一項投資究竟有無意義最終取決於當前的市場狀況。

許多人認為投資和瞭解市場對於孩子來說太複雜了，他們不知道孩子們憑直覺就能弄懂它們。當父母們還不熟悉Elmo玩具娃娃時，耶誕節前街上的變化就已經給孩子們帶來了消息，大部分孩子都想要一個Elmo娃娃，而且把它列在耶誕節禮單的頭一項，於是需求巨大而供給不足的恐慌發生了。商店裡沒有Elmo娃娃賣，投機者從絕望的父母那兒看到了發大財的機會，因為這些未買到玩具的父母將不得不為孩子們改買另一樣玩具。於是Tickle Me Elmo娃娃以難以置信的火爆迅速造就了一個市場神話。雖然這一切與我無關，但它卻可作為供求關係的一個很好的例子。同樣的事也同樣發生在股票、債券、房地產和棒球卡市場上。

第四是法律。它可以幫助你有效運營一個進入會計、投資和市場領域的企業並實現爆炸性地增長。瞭解稅收優惠政策和公司法律的人能比雇員和小業主更快致富。這就像一個人在走，而另一個人卻在飛，若從長遠看這種差距就更大了。

一、**稅收優惠**。公司可以做許多個人無法做的事，像稅前的費用開支。這是一個如此令人激動的專業領域，但在你沒有足夠的資產或業務之前不必進入。

雇員掙錢、納稅，並靠剩下來的東西為生；一個企業掙錢，花掉它的錢，而只對剩下來的東西繳稅。這是富人鑽的最大的法律空檔，如果你有能帶來現金流入的投資，公司便可輕鬆、廉價地營運。例如，若擁有自己的公司，夏威夷的董事會就是你的假期，買車以及隨之而來的車的保險和修理費也是企業支出，健身俱樂部會員費會是企業支出，大部分的餐費更是企業的支出，而且它們都在稅前被合法支付。

二、**在訴訟中獲得保護**。我們生活在一個愛打官司的社會中。富人用公司和信託來隱藏部分財富，當一些人起訴富人時，他們經常遇到法律對富人的保護，並發現這富人其實一無所有。奇怪嗎？他們控制著一切，但一無所有。窮人和中產階級盡力去擁有一切，但最後卻不得不支付給政府和那些樂於控訴有錢人的小市民們，這些小市民們也從羅賓漢的故事中學到了劫富濟貧。

本書的目的並不是具體教你如何擁有一個公司。但我仍要說，你擁有的任何一種合法資產，我都可以考慮找出以企業形式擁有同等資產時所能享受到的更多的好處和保護。有很多書寫過這個題目，會詳細到告訴你建立一個企業的必要步驟和能享受的優惠。有一本書叫

《股份有限公司和致富》*Inc. and Grow Rich* 就對私營公司的能量方面提供了很好的觀點。

「財商」實際上是技巧和才能的結合。但我仍說它由以上所列的四項技能綜合組成。如果你想致富，上述的組合將大大增加你個人的財務能力。

小結：

擁有公司的富人　一、掙錢　二、支出　三、繳稅

為公司工作的人　一、掙錢　二、繳稅　三、支出

作為你的綜合經濟策略的一部分，我強烈建議你擁有一個由你自己的資產組成的公司。

Chapter six

Lesson Five
The Rich Invent Money

第五課：
富人的投資

第六章

第五課：富人的投資

昨天晚上，在寫作的間隙，我看了一個電視節目，講的是一個叫亞歷山大・格雷厄姆・貝爾的年輕人的故事。那時候，貝爾剛剛為他的電話機申請了專利，但卻發愁無法滿足市場對於他新發明的強勁需求。為了得到大公司的支援，貝爾找到了當時的巨無霸——西部聯合公司，問他們是否願意購買他的專利和他的小公司，他的要價是十萬美元。西部聯合公司的老總嘲笑並拒絕了他，認為這個價格簡直是荒謬可笑。後來發生了以下的事情：一個擁有數十億美元的產業產生了，而且最終成立了美國電報電話公司。

有關貝爾創業經歷的節目之後是晚間新聞，其中一條談到了本地一家公司又一次裁員，公司的工人們憤怒地譴責公司老闆的做法。在工廠門口，一位大約四十五歲的下崗經理帶著他的妻子和兩個孩子，要求門衛允許他進去同老闆對話，請老闆重新考慮解雇他的決定，因為他剛剛購買了一套房子。鏡頭記錄了他的呼籲，全世界都看見了，這件事自然也引起了我的深思。

我從一九八四年開始教育生涯，這是一種非常有益的經歷，甚至是一種獎勵。但這也是一個令人不安的職業，因為我曾經教過數千人，從中發現了所有人——包括我自己的一個共同點：我們都擁有巨大的潛能——這一上天賞賜的禮物。然而，問題是我們都或多或少地存在著某種自我懷疑，從而阻礙了自己的前進。阻礙我們前進的障礙很少是由於缺乏技術性資訊，更多的是由於缺乏自信。

一旦我們離開學校，我們之中大部分人就會意識到，僅僅有大學文憑或好分數是遠遠不夠的。在校園之外的現實世界裡，有許多比好分數更為重要的東西，我常常聽到人們將這些東西稱之為「魄力」、「勇氣」、「毅力」、「大膽」、「氣勢」、「精明」、「勇敢」、「堅強」、「才華橫溢」等等。不管怎麼稱呼，這都是比學校分數更能從根本上決定人們未來的因素。

在我們每個人的性格當中，既有勇敢、聰明、潑辣的一面，也有畏懼、愚昧和膽怯的一面，這就好像一些非常勇敢頑強的英雄有時也會跪下來乞求上帝的恩賜。作為一名海軍特種部隊的飛行員，我在越南戰場上待了一年後，發現這兩種傾向在我身上同時存在，看不出哪種傾向較佔優勢。

但是，作為一名教師，我意識到過分的畏懼和自我懷疑是浪費我們才能的最大因素。看到學生們明明知道該做什麼，卻缺乏勇氣付諸實踐，我就感到十分悲哀。在現實世界裡，人們往往是依靠勇氣而不是聰明去領先於其他人的。

在我的個人體驗中，培養財務智慧既需要有專業知識，又需要有足夠的勇氣。如果畏難情緒太大，往往會壓抑才能的發揮。在我的班上，我極力勸說學生們學著去冒險，去勇敢地發揮才能，把畏難情緒轉化成動力和智慧。我的建議使許多人受到觸動，並且有的人受到良好的影響，但我也明顯意識到，對大多數人來說，一旦涉及到金錢的問題，他們總是把安全性放在第一位。我不得不即席答覆這樣一些問題，諸如：為什麼要去冒險？為什麼必須不厭其煩地提高自己的財商？為什麼必須懂得財務知識？

對此，我回答說，「就是為了獲得更多的選擇機會。」

更大的變化還未出現。就在我提到年輕的發明家亞力山大．格雷厄姆．貝爾的故事時，世界正產生著更多的像貝爾那樣的人。每年全世界會產生一百個像比爾．蓋茲那樣的人，也會創立出更多像微軟一樣成功的公司，當然，全世界每年也會有更多的公司破產並發生解雇和裁員。

那麼，一個人為什麼非要提高自己的財商不可呢？除了自己，沒有人能回答這個問題。不過，我可以告訴你為什麼我自己要這樣做。原因很簡單，做這些工作是我生命當中最快樂的事情，我更歡迎變化而不是抱怨變化，我更喜歡能掙到數百萬元的錢而不是去擔心能不能獲得提升。當今我們所處的時代是歷史上未曾有過最激動人心的時代，當後人回顧今天這段歷史時，他們一定會感歎這是一個多麼充滿機遇的時代。舊的東西消亡了，新的東西產生了，到處都在發生翻天覆地的變化，這的確讓人興奮不已。

那麼究竟為什麼要努力提高自己的財商呢？因為這樣做了，你就會獲得更大的成功；而不這樣做，對你來說，這個時代就會成為一個令人恐慌的時代。你會發現一些人勇敢地走在了前面，而另一些人卻陷入生活的惡性循環並難以自拔。

三百年前，土地是一種財富，因此，誰擁有土地，誰就擁有財富。後來，美國依靠工廠和工業產品上升為世界頭號強國，工業家佔有了財富。今天，資訊便是財富。問題是，資訊以光的速度在全世界迅速傳播，新的財富形式不再像土地和工廠那樣具有明確的範圍和界限。變化會越來越快，越來越顯著，百萬富翁的數目會極大地增加，同樣，也會有許多人被遠遠地拋在後面。

今天，我發現許多人在苦苦工作、苦苦掙扎，其原因就是因為他們依然固執於陳舊的觀念。他們希望事情都能原封不動，他們抵制任何變化。那些失去了工作或房子的人總在抱怨技術進步，或是埋怨經濟狀況不佳以及他們的老闆，卻沒有意識到，問題的癥結在於他們本身。陳舊的思想是他們最大的包袱，也可以說是最大的債務。為什麼呢？原因很簡單：他們沒有意識到已有的某種思想或方法在昨天還是一種資產，但今天卻已經變成了負債。

一天下午，我正在講授投資問題，並以「現金流」遊戲作為教學工具。我的朋友帶了一位女士一道來聽我的課。這位女士最近離婚了，在離婚問題的處理上她遭受到了沉重的打擊，正想尋找某種答案。我的朋友認為聽聽我的課也許對她會有所幫助。

「現金流」遊戲設計的目的，是為了幫助人們瞭解金錢是如何運動的。在玩遊戲的過程中，人們可以瞭解收入表和資產負債表之間的互動關係，並弄懂如何在這兩張表之間記錄

「現金流量」以及透過增加資產科目上的月現金流量，使你的月現金流量超過每月支出金額，進而達到財富增長，最後你就能從「老鼠賽跑」中掙脫出來，上升到「快車道」上。

我曾經說過，一些人討厭這個遊戲，也有許多人喜歡這個遊戲，還有一些人對這個遊戲不太在意。這位女士就失去了一個學一些財務知識的極好機會。在第一輪中，她得到了一張「零星支出」卡，開始她感到很高興，「噢，我得到了一隻遊艇！」接著，當我的朋友試著向她解釋如何在收入表和資產負債表上做數字記錄時，她非常沮喪，因為她從來就不喜歡與數字打交道。桌上的其他玩家在一邊等著她，而我的朋友則不停地向她解釋收入表、資產負債表和月現金流量之間的關係。終於，她弄明白了數字記錄的奧妙，並且意識到她的小艇實際上消耗了她的資金，影響了她的資產的流動性。後來在遊戲中，她在「下崗」格停過，還添了一個孩子，不用說，這個遊戲對她來說簡直是糟糕透了。

課後，我的朋友過來告訴我，說這位女士不太開心。她來聽課原本是為了學習投資知識，並不喜歡花這麼長的時間來玩一個愚蠢的遊戲。

我的朋友試圖建議她反省一下自身，也許這個遊戲在某些方面正好反映了她的情況。這個建議起了負作用，這位女士要回了自己的「錢」。她說，認為這樣一種遊戲會反映她的情況的想法，簡直是荒謬絕倫。她的「錢」立即歸還給了她，然後她就走了。

自一九八四年以來，我僅僅是透過做學校正規教育系統所沒做的事情，就賺了數百萬美元。在學校，大部分老師都喜歡不停地講解，我在當學生的時候就不喜歡這種授課方法，因為我很快就會厭倦失神。

從一九八四年，我開始使用遊戲和模板來進行教學。我常常鼓勵我的成人學生從遊戲中看出哪些反映了他們所知道的情況，哪些是他們還需要學習的東西。最重要的是，要讓遊戲能反映一個人的行為方式，因為它是一個即時反饋系統。這個遊戲不需要老師不停地講解，它就像是一場個人間的互動式對話，時時刻刻都在與你本人進行溝通。

後來我的朋友打電話告訴我有關那位女士的最新情況。她說，她的朋友——那位中途離開的女士現在很好，已經平靜下來。當那位女士冷靜下來時，她開始發現那個遊戲與她的生活之間的確存在著某種微妙的關係。

雖然她和她丈夫並不曾擁有一隻遊艇，可是他們確實擁有其他所有他們期望得到的東西。對於離婚她感到憤怒，這不但是因為她丈夫另結新歡離她而去，也是因為結婚二十年來，他們幾乎沒有積存下什麼資產，他們居然沒有什麼可供分割的財產。他們二十年的婚姻生活確實充滿了樂趣，但是所有的積累卻是一大堆不值錢的東西。

她意識到對於數字的憤怒情緒來自於自己不懂得收入表和資產負債表中這些數字的含義。她認為財務是男人的事情，所以她只負責操持家務，而讓丈夫掌管財權。現在她才意識到，在他們婚姻生活的最後五年裡，他一定瞞著她藏了不少錢。她後悔自己沒有多留意錢都用到哪兒去了，也沒有去注意其他婦女是怎麼做的。

就像玩這種紙板遊戲一樣，現實世界也總是給我們以即時反饋。我們關注得越多，能夠學到的也就越多。這就好像不久前的一天，我對太太抱怨說，洗衣店一定是把我的褲子洗縮水了。太太卻微笑著拍著我的肚子說：「你沒有注意到嗎？不是褲子縮小了，而是別的東西變大了──你的肚子。」

「現金流」遊戲的設計能給每位玩家以不同的反饋，它的目的是給予你不同的選擇機會。如果你抽到買遊艇的卡片且因此而負債，問題就產生了：「現在你可以做什麼？你可以採取多少種不同的財務選擇？」這就是遊戲的目的──教會玩家去思考和創造新的、各不相同的財務選擇。

我曾經看過一千多人玩這套遊戲，在遊戲中，那些能從「老鼠賽跑」中最快勝出的人，都是對數學很精通而且具有創造性財務思維的人，他們懂得不同的財務選擇的不同意義。在「老鼠賽跑」中花費時間最長的人往往是那些對數學不精通，且常常不懂得投資威力的人。富人更富有創造性，願意經過精心籌劃後再去冒險。

也有許多人在「現金流」遊戲中掙到許多「錢」，卻不懂得如何去利用錢。他們中的大部分人在現實生活中的個人財務也不太成功，即使他們有「錢」，但其他人似乎都超過了他們。

限制自己的選擇機會和執著於陳舊思維方式相類似。我有一個高中時代的朋友，現在擁有三份工作。二十年前，他曾是我的同班同學中最富有的一個，然而後來當地的甘蔗園倒閉了，他所在的製糖公司也隨之關門。在他看來，他只有唯一的一種選擇──一種陳舊的選擇：努力工作。問題在於他無法再找到一份能像原來那家公司那樣承認他的價值的新工作。結果，他過高估計了現有的工作，並且他的薪水也降低了。如今，他不得不同時從事三份工作，以掙到足夠的錢來維持原有的生活水平。

我常聽到玩「現金流」遊戲的一些玩家抱怨「好機會」總是不來光顧他們，於是，他們就坐在那裡一邊發著牢騷一邊守株待兔。我知道他們在現實生活中也會這麼做：等待「好機會」的到來。

我也曾見過有的人得到了「機會」卡卻依然沒能掙到足夠的錢。於是，他們就慨歎要是有足夠的錢，就能夠在「老鼠賽跑」中取勝，所以他們也在那裡坐等。我知道在現實生活中他們也會做同樣的事情：眼看著有許多大生意可做，手頭上卻沒有錢。

我還見過有人抽到一張「機會」卡，大聲讀出來後卻懵然不知那是一個好機會。他們手上有錢，時機正好，又擁有機會卡，但他們卻看不到機會之光已經照在自己頭上，他們不懂得應該如何調整自己的財務計劃並抓住這個機會，從「老鼠賽跑」中勝出。我還發現，大部分人只存在上述某一種問題，只有很少的人才同時存在幾個問題。其實，大部分人一生當中至少會有一個機會在他們面前散發光芒，只是由於自身的問題使他們面對機會卻視而不見。一年之後，當他們猛然意識到那個機會的價值時，但一切為時已晚。

財務知識豐富僅僅是意味著擁有更多的選擇機會而已。如果機會並未按你的設想降臨，那麼你還能做點什麼來改善自己的財務狀況呢？如果機會降臨到你頭上，但你卻沒有錢，而銀行也不來幫你，那你該做些什麼來利用這一機會受益呢？如果你的預感是錯誤的，你所預計的事情並沒有發生，你又如何將一小筆錢變成數百萬美元？換句話說，當你要求的沒有出現時，你能想出多少種財務方法來把一小筆錢變成數百萬美元呢？這就應該依靠你的財務智慧，要看你在解決財務問題上有怎樣的開創能力了。

但大部分人卻只知道一種方法，那就是努力工作、儲蓄或者借貸。

那麼，為什麼你想提高自己的理財能力呢？因為你想成為那種能夠為自己創造機遇的人。你希望能坦然地接受發生的任何事情，並努力使事情變得更好。很少有人知道機遇和金錢是可以創造的。但是，如果你想更幸運，掙到更多的錢，而不只是辛苦工作，那麼你的理財能力就非常關鍵。如果你是那種等待「好事情」發生的人，那麼，你就可能要等非常長的時間。這就好比在動身旅行之前非要等待前面五英里長的路上所有的紅綠燈都變成綠色不可一樣。

小時候，富爸爸經常教導我和邁克：金錢不是真實的資產。從我們第一次用牙膏皮「造錢」起，富爸爸就常啟發我們去瞭解金錢的秘密。「窮人和中產階級為金錢而工作，」他說，「富人則創造金錢。當然不是像你們那樣『造』錢。你把金錢看得越重要，你就會為金錢工作得越辛苦。如果你能夠懂得『金錢不是真實的資產』這一道理，你就會更快地富有起來。」

「那金錢是什麼？」我和邁克反問道，「既然金錢不是真實的資產。」

「它是我們大家都認可的東西。」富爸爸回答說。

我們唯一的、最重要的資產是我們的頭腦。如果受到良好訓練，轉瞬間它就能創造大量財富，並使財富從此不再只是三百年前國王和王后們的專屬。而一個未經訓練的頭腦透過教給自己的家庭不正確的生活方式，將會延續給後代極度貧困的生活。

在資訊時代，金錢越來越變得讓人不可思議，一些人僅憑思想和所謂的合約就能從一無所有突然一夜暴富。但如果你詢問那些以從事股票買賣或投資活動產生的人，這是怎麼回事，他們會把這視為稀鬆平常。因為他們當中常有人從一無所有瞬間變成百萬富翁，並且這一切只是透過買賣合約而不是進行實際的金錢交易來進行的。它們通常只是交易所的一個手勢，或是從里斯本移到多倫多的交易商面前的螢光幕上的一個光點，抑或是向自己的經紀人下達的買入以及片刻之後賣出的一個指令，完全都是透過合約來進行的。

那麼，為什麼要開發我們的理財天賦呢？仍然只有你自己才能回答這個問題。但我同樣可以告訴你為什麼我去發展自己這方面的能力，因為我想快速掙錢。不是我必須做，而是我想要做，這是一個令人著迷的學習過程。我開發自己的財商是因為我想要參加這世界上最快、最大的遊戲。從我自己的觀點來看，我願意成為這場史無前例的人性革命洪流的一部分，並投入到這個人們僅靠腦力而不是依靠體力來工作的時代。除此之外，這也是一場行動，一件正在發生的事情，這是在緊緊追趕時代潮流，這是一個驚險故事，當然，這更是一件非常有趣的事情。

這就是我為什麼要提高財務能力，開發我所擁有的最強有力的資產的原因。我想和勇者為伴，不希望與後進的人為伍。

我要告訴你創造金錢的一個簡單例子。九〇年代初，鳳凰城的經濟一團糟。我在家看電視節目「早安，美國」時，有位財務籌劃專家出現在電視上並預測經濟狀況，他的建議是儲蓄。他說，每月拿出一百美元存起來，四十年後你就會成為百萬富翁。

不錯，每月拿出一筆錢存起來聽上去確實是一個好的主意。這是一種選擇，一種大多數人都願意做的選擇。問題就是：它會蒙蔽人們的雙眼，使人們看不到事實發展的真相，他們會因此錯過更多更好使資金增加的機會。於是，機會就此與他們失之交臂了。

我剛才說過，那時候經濟很不景氣，而對於投資者來說，這卻是一個絕好的市場良機。我有一大筆錢投資於股票和房地產，手頭缺少現金。這是因為每個人都在賣出，而我卻在買入。我不是在儲蓄金錢，而是在投資。我太太和我有一百多萬美元的現金投在將要迅速上升的市場上，我們相信這是最好的投資機會。

原先價值十萬美元的房屋現在只值七萬五千。但我沒有去找本地房地產公司買進這些房地產，而是去找破產事務律師辦公室，或者透過法院開始洽談業務。在這些地方，一幢七萬五千美元的房屋有時可以按兩萬美元或更低的價格買下。首先，我以現金支票的形式支付給律師兩千元定金，這是我向朋友借的，為期九十天、利息兩百元。當購買程式剛一啟動，我就在報紙上刊登售房廣告，以六萬美元、首期付款為零的條件，賣出這幢價值七萬五千美元的房屋。我的電話鈴很快就響個不停，我對有希望成交的買主一一進行了調查篩選。然後，當房屋在法律上歸我所有後，所有有望成交的買主都被允許去實地察看這幢房屋。交易非常順利，房子在幾分鐘之內就售出了。我要求得到兩千五百美元的手續費，買主很高興地支付了。這筆錢我用於支付提供了仲介服務的公司、償還我的朋友兩千美元和額外的兩百美元利息。在這筆交易中，我的朋友高興、房屋的買主高興、律師高興，而我，當然更高興。我支付兩萬美元的成本買入一幢房子，又以六萬美元的價格賣出去，淨賺的四萬美元以買主開出的承兌匯票的形式流入我的資產專案。所有的工作時間累計起來只有五個小時。

如果現在你粗通財務並能閱讀數字，我可以用上述交易為例，向你展示金錢是如何創造的。

在這個蕭條的市場中，我和太太利用閒暇時間做成了六筆這樣的簡單交易。當我們的大量資金由於被投入到增值性的財產和股票市場而無法動用時，我們通過這六次買入、撮合和賣出交易，賺取到十九萬美元。由於這筆資產的票面利率為10%，這樣我們每年有了大約一萬九千美元的收入，並且這筆收入又被我自己的公司「隱瞞」下來，因為每年這一萬九千美元的大部分被用於支付我們公司的車輛費、汽油費、差旅費、保險費、招待費以及其他費用。當政府對這筆收入徵稅時，這些支出可以作為合法的稅前費用被扣除。

在資產檔中創造的4萬美元無須徵稅。按10%的利息計算，你的現金流每年可增加4000美元。

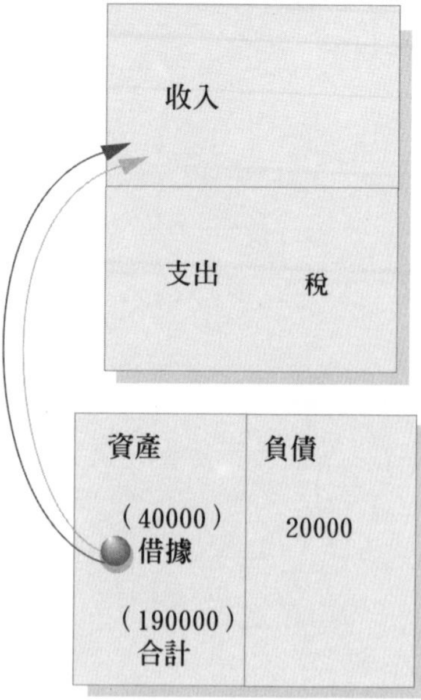

儲蓄—

儲蓄4萬美元需要多長時間？完成50%需要徵稅多少？

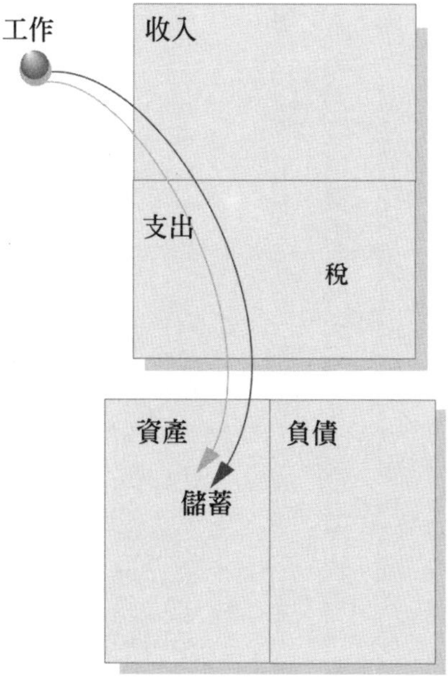

這是運用財務智慧、使用金錢、創造金錢以及保全金錢的一個簡單例子。

請問：你花多長時間才能攢到十九萬美元？銀行會支付給你10％的利息嗎？貨幣會保持三十年不貶值嗎？我覺得銀行儲蓄是不可能給我積攢到十九萬美元的，而且即使他們最後能支付這筆存款本金，我還得因此繳稅。此外，在三十年裡每年被付一萬九千美元，從收入上來講要遠遠高於五十萬美元，這對銀行來說更是不可能的。

有人問過我，如果那位買主不能支付，那怎麼辦？這種事情不會發生的，若如此，倒是個好消息。因為鳳凰城的房地產市場在一九九四年到一九九七年間是全美最火爆的市場之一。那幢六萬美元的房屋，再買回後可以用七萬美元的價格重新賣出，此外，還可按貸款手續費的名義再收入兩千五百美元。對於新買主仍然可以提供首期零支付的優惠，這一過程還可以被繼續下去。

因此，如果你反應敏捷的話，你會看到，當我第一次賣出房屋時，我歸還了兩千美元。從技術上講，我在交易中沒有投入任何資金，但我的投資回報是無窮大。這就是無錢變有錢一個很好的例子。

在第二筆交易中，當房子重新賣出時，我可以將兩千美元裝入自己的腰包，並將貸款再延期至三十年。如果我把賺到的錢用來再去賺錢，那麼投資回報率又將是多少？我不知道，但我確信一定能超過每月存款一百美元的收益率。每月存款一百美元實際上是要存一百五十美元才能達到預期收益，因為這四十年來，你存入的錢已被課以5％的所得稅，而且到期時你將再次按5％的稅率支付稅款。這樣做至少可以說不是太明智，也許這樣很安全，卻並不夠精明。

一九九七年，我在開始寫這本書的時候，市場走勢幾乎和五年前完全相反，鳳凰城的房地產令全美國嫉妒。我們當年以六萬美元價格賣出的房屋如今已經上漲到十一萬美元。這時，雖然依然可以找到一些破產財產，但我要花費價值可觀的資本和時間去尋找這樣的機會。這種機會變得很稀少了。成千上萬的買主在尋找這樣的機會，但只有少數人獲得有意義的成功。市場已經發生了變化，現在是轉而尋找其他增加資產專案的時候了。

「在這裡你不能那樣做。」

「這是違反法律的。」

「你在撒謊。」

我聽到的這些評論遠比我聽到的諸如「你能不能告訴我怎麼去做」多得多。

你所需要的數學知識其實很簡單，並不需要用幾何或微積分。有關交易的過程我不想寫很多，原因是那些提供仲介服務的公司會負責處理合法交易並提供相關服務。我也不必去做諸如屋頂加固、修整廁所的工作，房屋所有者自會去做這些工作，因為這是他們自己的房子。偶爾也有人不能支付，但這是非常罕見的，因為在這種情況下，他們必須支付延期付款費，或者他們不得不搬出來，將房屋重新賣掉。法院系統會處理這些事務。

當然，你所在的地區可能這些服務不盡完善，市場狀況也會有所不同。然而，我只是想用這個例子說明，只用很少的資金、冒很小的風險，藉由一個簡單的財務運作過程就能創造出成百上千萬美元的財富。這一例子也說明了金錢僅僅是一紙協定而已，任何高中文化程度的人都能做到這一點。

然而，大部分人卻沒有做到，這是因為大部分人都信奉「辛苦工作，努力存錢」的教條。

花大約三十個小時的時間工作，資產項下就增加了十九萬美元，而且不用支付一分錢的稅款。

哪個問題對你來說更困難一些呢？

一、辛苦工作，付50%的稅，省下錢去儲蓄。你的存款利率為5%，而且利息還要再徵稅。

二、花些時間來提高你的財商，增強你的動腦能力，從而增加你的資產。

如果你選擇第一種辦法去儲蓄十九萬美元，還得計算你所花費的時間，而時間正是你最重要的資產。

現在你會明白，為什麼每當我聽見父母們說「我的孩子在學校受到良好教育，學習很棒」時，我總是會默默地搖搖頭，這種教育也許的確是很好，但是這真的足夠嗎？

我前面所說的只是小型投資戰略，只是用來說明如何把小錢變成大錢。另外，我的成功經歷也反映了擁有堅實的財務知識基礎是多麼重要，而打好堅實的財務知識的基礎是從接受扎實的財務教育開始的。值得不厭其煩地再重複一遍的是，財商是由這四項主要技能組成的：

一、財務知識。即閱讀理解數字的能力。

二、投資戰略。即錢生錢的科學。

三、市場、供給與需求。貝爾提供市場所需要的東西，比爾·蓋茲也是如此。用兩千美元買的一套價值七萬五千美元的房子，以六萬美元的價格賣出，這就是抓住了市場所創造的機會的結果。市場上，總是有買方，也有賣方。

四、法律規章。要關心有關會計、公司方面的法律以及州和全國的法律及規定。我們必須按規則來進行「遊戲」。

不管是透過購買小型房屋還是大型公寓、公司、股票、債券、共同基金、珠寶、棒球卡，或是類似的其他的東西來成功地獲取財富，都必須具備上述基礎，或者說必須同時掌握上述技能。

一九九六年，房地產市場開始復甦，人們紛紛湧入這一市場，股票市場也開始繁榮起來，整個美國經濟開始復甦。我在一九九六年開始售出房子，現在則已將投資目標轉移到了秘魯、挪威、馬來西亞和菲律賓。投資物件發生了變化，在市場買盤開始變動時，我們已經準備著退出房地產市場。現在我密切關注著房子在資產基礎上的價值攀升，並有可能在今年晚些時候出售一些房子，這要取決於國會有可能通過的一些法律修正案。我預備出售那六套小型房子，然後把四萬美元的票據轉換成現金。我需要告訴我的會計保管好現金並尋求新的保值途徑。

下面我要討論的問題是有關資金的投入和收回、市場的景氣和蕭條、經濟的增長和衰退等問題。在人的一生中，幾乎每一天你都會遇到許許多多的機會，可是我們常常對此視而不見，但是機會確實存在，世界變化越大，技術進步越快，提供給你和你的家庭以至幾代人財務安全的機會也就越多。

那麼，為什麼不耐心地提高你的財商呢？我不斷地學習和提高的原因是因為我知道市場會有景氣和蕭條的交替，我意識到變化正在來臨，我更歡迎變化而不是沉溺於過去。我之所以想不斷地提高自己的財商，是因為每當市場發生變化時，一些人會乞求一份工作，與此同時，另一些人會抓住生活給予他們的機會——我們每個人都會偶爾獲得的機會，然後將機會轉變成數以百萬計的美元。這就是財商。

常常有人問起那些讓我賺取百萬美元的機會。從個人的角度來講，對於是否使用更多我個人的投資經歷作為例子，我有些躊躇，因為我擔心這樣做顯得有些自吹自擂。自誇並非我的本意，我使用這些例子只是為了從數字上或時間上說明一些簡單且實際的事例，而且，使用這些例子也是希望大家知道這一切真的很容易。你越熟悉財商的四大特徵，你就會越覺得容易。就我而言，我主要使用兩種工具來實現資金的增值：房地產和小型公司股票。房地產是基礎，通過每月買進賣出，我的財產不斷地提供現金流入，偶爾也會有價值上的飆升。再有就是等待小型公司股票的快速增值。

我並不建議別人去做我做的事情，例子也只是例子。如果投資機會太複雜而我不能弄明白，我就不會去投資。簡單的數學計算和一般常識是做好財務所需要的一切。

下面是我用例證的五個原因：

一、激勵人們學習更多的知識；

二、萬丈高樓平地起，希望告誡人們打好基礎；

三、告訴人們每個人都能取得巨大的財富；

四、告訴人們條條大路通羅馬。

五、告訴人們財務知識並不是深奧的科學。

一九八九年，我常常慢跑穿過俄勒岡州波特蘭附近一片美麗可愛的地區，那裡有一些宛如小薑麵包式的房子。這些房子很小巧別致，令我不禁想起小紅帽蹦蹦跳跳地走在去外婆家的路上的情景。

路邊到處都是「房屋待售」的招牌，木材市場十分蕭條，股票市場幾近崩潰，經濟狀況很不景氣。在一條街上我注意到有塊破舊的待售招牌比其他任何招牌懸掛的時間都要長，一天慢跑路過那裡，我便跑進去見房子主人，他看起來正處於困境之中。

「你想以多少價錢賣掉房子？」我問到。

房子主人轉過身來苦笑著說：「給我報個價，」他說，「房子待售已經一年多了，甚至沒有人願意進來看一看。」

「我來看看。」我說。半小時之後，我就以低於他要價的兩萬美元的價格買下了這幢房子。

這是一幢小巧玲瓏的雙人套房，所有窗戶上都裝飾著薑汁麵包式的須邊，房子呈淡藍色帶灰點，建於一九三〇年，房子內部有一個漂亮的岩石壁爐，還帶有兩間小臥室，把它用作出租是再好不過的了。

這棟房子的買價為四萬五千美元，而它實際上值六萬五千美元，儘管當時沒人想要買下它。我付給房屋所有者五千美元的頭期款，一周後，房屋主人高高興興地搬走了，他慶幸自己終於擺脫了那幢房子。我的第一位房客，一位當地的大學教授，住了進去。每月他交給我租金，我拿去還完抵押貸款、支付完費用和管理費後，我口袋裡的月現金流量還能增加略少於四十美元的數額，這似乎並不怎麼激勵人心。

一年後，蕭條的俄勒岡房地產市場開始復甦。來自加利福尼亞的投資者，攜帶著大筆資金從他們那依然繁榮的房地產市場上轉向北方，大批購買俄勒岡和華盛頓州的地產。

我以九萬五千美元的價格將那套小房子賣給了一對來自加利福尼亞的年輕夫婦，而他們也認為自己撿到了大便宜。我希望把獲得的大約四萬美元的資本利得採用一〇三一遞延稅款的方式進行交易，於是我尋找地方把資金投資出去。過了一個月左右，我在俄勒岡找到了一套有十二個房間的公寓，這套公寓正好位於比佛頓的英代爾工廠的旁邊。公寓主人住在德國，對於這片地產的價值沒有任何概念，只想盡快脫手。我給這套價值四十五萬美元的房屋報價二十七萬五千美元，最後以三十萬美元成交。我買下了它並持有了兩年，後來我們要搬到鳳凰城，因此我以四十九萬五千美元的價格賣出了它。接著，我在亞利桑那州鳳凰城買下了一幢三十個房間的公寓樓。就像以前的俄勒岡市場一樣，當時鳳凰城的房地產市場一片低迷。鳳凰城這幢有三十個房間的公寓樓價格為八十七萬五千美元，首期付款二十二萬五千美元。這幢三十房間公寓出租後帶來的月現金流量略高於五千美元。到一九九六年，亞利桑那州的房地產市場開始變動，一位科羅拉多的投資者為我們這裡的房子出價一百二十萬美元。

我和太太考慮過出售的事情，但我們決定等一等，看看國會是否會修改有關資本利得的法律。如果確實修改的話，我們預期這裡財產的價格還會上升15％至20％，而在持有的期間，每月它還能提供五千美元的現金流入。

這個例子的要點在於說明一小筆錢是如何變為一大筆錢的。當然，這還要靠對財務報表、投資策略以及市場和法律的瞭解。如果一個人在這些方面不甚精通，那麼很明顯，他們必然會遵循標準的教條，即安全地、分散地投資並只投向比較保險的專案。問題在於「保險」的投資常常過於安全，太安全則會導致低收益。

大多數大型房屋經紀公司不涉足投機交易，以保護自身及他們的客戶，這是一個明智的政策。

真正炙手可熱的交易不會提供給那些新手。一般來說，那些能使富者愈富的最好的交易總是為那些精通遊戲規則的人準備的。從技術上來講，一個被認為是不夠「老練」的人進行投機交易是不合規則的，當然這種事情也曾經發生過。

我越「老練」，就會得到越多的機會。開發財商的另一個方法，就是提供給自己更多的機會。你的財商越高，你就越容易分清一項交易是好還是壞。依靠你的智慧，你可以避免不利的交易，或者將一項不利的交易變成有利的交易。我發現，我學的東西越多——確實有許多東西值得去學——我掙的錢也就越多，這僅僅是因為隨著時光的流逝我積累了更多的經驗和智慧。我有許多朋友，他們安全地投資，在自己的崗位上辛勤地工作，卻未能開發出自己的財務天賦，而這種天賦的確需要時間來開發。

我的全部哲學就是把「種子」播在我的資產項下，這是我的公式。我從小額開始播種，有些長成了，有些則沒有。

在我們的房地產公司，我們擁有數百萬美元的財產，這是我們自己的房地產信託投資。這裡我要指出的是，這幾百萬美元資產的大部分都是由小到五千至一萬美元這樣數額的投資開始積累的。所有那些頭期付款都幸運地趕上了一個快速上升的市場，並增加稅收豁免且在數年的時間裡不停地被買進賣出。

我們還擁有股票投資組合，由一家公司進行管理。我和太太將這家公司稱為我們個人的共同基金。我的一些朋友專門與像我們這樣每月都有多餘的錢進行投資的投資者打交道。我們購買高風險、投機性強的私人公司，而這些公司正準備到美國、加拿大的股票市場去上市。有個例子可以說明股票投資的獲利速度是多麼快。在一家公司上市之前，我們以每股二十五美分的價格購買了十萬股該公司股票，六個月後，這家公司上市了，每股價值上升到二美元。如果這家公司管理有方的話，價格還會繼續上揚到每股二十美元或更高。好幾次我們的二十五萬美元在不到一年的時間變成了一百萬美元。

如果你清楚自己在做什麼，那就不是在賭博；如果你把錢投進一筆交易然後只是祈禱，那便是在賭博。在任何情況下，成功的辦法就是運用你的技術知識、智慧以及對於遊戲的喜愛來減少意外情況的發生並降低風險。當然，風險總是存在的，但財商可以提高你應付意外事件發生的能力。常常有這樣的情況，對一個人來說是高風險的事情，對另一個人來說則可能是低風險甚至幾乎沒有風險。這就是我不斷鼓勵人們更多地投資於對自己的財務教育而不是股票、房地產或其他市場的原因。你越精明，就越能應付意外情況的發生。

我個人進行的股票投資交易對大多數人來說是一件風險極高的事情，因此我絕不提倡人們仿效。我自一九七九年開始做股票投資以來賺了不少錢，不過，假使你明白為什麼這樣的投資對大部分人是高風險投資的話，你也許就擁有了在一年內將二萬五千萬美元變成為一百萬美元的能力，而且實際上，你只承擔著低風險。

前面說過，我所寫下的一切並不是建議，只是作為簡單的、可能的例子。從事情發生的整個過程來看，我所做的只是一小部分。對於一般人來說，依賴市場和個人的智慧，在五到十年的時間裡，每年獲得超過十萬美元的收入並不困難。如果你能夠保持適當的生活支出，十萬美元的額外收入是會很令人高興的，不管你是否工作。如果你喜歡，或者為了打發時間，你可以選擇工作，並利用政府的稅收制度來為自己服務而不是讓它來損害你的利益。

我的事業基礎是房地產。我喜歡房地產是因為它很穩定，變化比較緩慢。我把這一基礎建立得很牢靠，它提供給我相當穩定的現金流量。如果管理得當的話，它還會有使其價值增值的好機會。持有房地產這樣一個堅固的基礎，對我來說，其好處就在於使我在某種程度上敢於冒很大的風險去買入具有更大投機性的股票。

如果我在股市上掙了一大筆錢，我就會用資本利得的一部分支付資本利得稅，然而將餘額投資於房地產，以再一次穩固我的資產基礎。

關於房地產還有最後一句話要講到。我周遊過全世界並講授投資，在每一個城市，我都聽到人們說，不要買便宜的房地產，但這並不符合我的經歷。

這種觀念使很多重要的降價交易被大多數人所忽略。在新加坡，儘管眼下房地產價格很高，但仍能在離城市不遠的地方發現一些低價交易的機會。因此，每當我聽到某人說「在這兒你不能做那個」時，我就會提醒他們，也許正確的說法應該是，「其實，我不知道在這兒該如何做那個」。

好機會是用你的腦子而不是用你的眼睛看到的。大部分人沒辦法致富僅僅是因為他們沒有在財務上受到訓練，因而不能認識到機會其實就在他們面前。

我也常常被問到：「我該如何著手？」

在最後一章裡，我提供了我在通向財務自由的道路上所遵循的十個步驟。但是還要注意培養對投資的興趣，感受其中的樂趣，這畢竟只是一場遊戲，有時你贏了，有時你要學習，但是一定要有樂趣。大部分人從來不贏是因為他們太害怕失去，這也是我發現學校教育的一大誤區。在學校裡，我們被告知錯誤是壞事，如果我們犯了錯誤就會受到懲罰。然而，如果你看看人類學習的方法，就會明白人類其實就是在犯錯誤的過程中進行學習的。我們從跌倒中學會了走路，如果我們從不跌倒，我們就永遠也學不會走路。學騎自行車也是同樣的道理，儘管我的膝蓋上仍有傷疤，但我今天騎自行車時已不費吹灰之力了。富裕起來更是同樣的道理，不幸的是，大部分人不富有的主要原因就在於他們太擔心失去。勝利者是不怕失去的，但失敗者都害怕失去。失敗是成功之母，如果避開失敗，也就避開了成功。

有時我把投資看作我的網球比賽。我賣力去打，犯了錯誤，然後糾正，再犯更多的錯誤，然後再糾正，這樣水平就開始提高了。如果我輸掉了比賽，我會走向球網，和我的對手握手，笑著對他說：「下周六見。」

有兩種類型的投資者：

一、第一種類型也是最普通的一種，即那些進行投資的人。

他們聯繫一家從事經營個人投資業務的仲介機構，例如房地產公司、股票經紀人或財務籌劃顧問等，然後買下一些東西。這些東西可能是共同基金、房地產信託投資、股票或債券等。這是一條較好的、清楚簡單的投資方式，就好像一位商店老闆到電腦商店去購買一台組裝好的電腦。

二、第二種類型就是那種創造投資機會的投資者。

這種投資者通常會組織一項交易，如同一個人去買來電腦零件，然後將其組裝成一台電腦。雖然我連用零件組裝電腦的第一步工序都不知道，但我卻清楚應該如何將一個個機會組織起來，也知道誰正在這樣做。

第二種類型的投資者最有可能成為職業投資者，但有時候可能要花許多年才能將一個個機會組織起來，有時它們根本就不可能集合在一起。我的富爸爸鼓勵我去做第二種類型的投資者，學會如何將機會組合在一起，有時候會因此獲得巨大的成功，但有時候也會因形勢逆轉而損失慘重。

如果你想成為第二種類型的投資者，那麼你需要發展三種主要技能，這三種技能是成為財務能手所必要的更高要求。

一、如何尋找到其他人都忽視的機會。

你要用心去發現別人眼裡忽視的那些機會。例如，我的一個朋友買了一幢破舊不堪的房子，那房子看起來像個鬼屋，每個認識他的人都很納悶他為什麼要買下它，但我的這個朋友卻透過產權公司瞭解到這間房子有四間額外的空房，於是買下房子後，他把額外的空房拆掉，然後把空地賣給了一位建築商，所得資金三倍於他為整個交易所花費的成本。兩個月的時間，他掙到了七萬五千美元。這筆錢雖然不算多，但它確實高於最低工資，而且在技術操作上也並不複雜。

二、如何增加資金。

一般人只會去找銀行貸款，而第二種類型的投資者則知道不找銀行就能融資的辦法。因為從事房地產投資，我學會了如何不找銀行就能買下房子的技巧。房子本身並不太重要，而學到的融通資金的技巧卻是無價之寶。

我也時常聽到人們說，「銀行不會借給我錢」或者「我沒有錢去買它」。如果你想成為第二種類型的投資者，你就需要知道如何去做到那些大部分人未能做到的事情。換句話說，大多數人眼睜睜地讓缺少資金阻止了他們去做成一筆交易，如果你能越過這些障礙，你就能比那些沒有掌握這些技能的人早一步成為百萬富翁。

有許多次，我在銀行沒有一分錢存款的情況下，買下了房子、股票或公寓樓。有一次我買了一幢價值一百二十萬美元的公寓樓，我的辦法就是「成為聯繫的橋樑」，即透過在賣方和買方之間訂立一紙合同來實現目的。

首先，我籌集了十萬美元，這將使我能獲得九十天的寬限期來籌集剩下的款項。我為什麼要這麼做呢?就是因為我知道這麼做的價值將是二百萬美元甚至更多。但我後來再沒有去籌集款項，因為那位以前借給我十萬美元的人又給了我五萬美元買走了這交易機會，於是他取代了我的位置，我則離開了。總的工作時間：三天。所以說，你知道的比你買到的更重要。投資不是買入，而應該說是一個收集資訊的過程。

三、怎樣把精明的人們組織起來。

聰明的人往往會雇用比自己更聰明的人或與他們一道工作。這樣，當你需要建議的時候，你就有可以信賴的顧問。

有很多東西需要去學習，因此而得到的回報也會非常大。如果你不想學習這些技能，那麼我就建議你最好做第一種類型的投資者。你懂得了這一點就是你擁有的最大財富，你不知道這一點就是你面臨的最大風險。

風險總是無處不在，要學會駕馭風險，而不是一味迴避風險。

Chapter seven

Lesson Six
Work to Learn　Don't Work for Money

第六課：
不要為金錢而工作

第七章　第六課：不要爲金錢而工作

一九九五年，我接受了新加坡一家報紙的採訪。一位年輕的女記者準時赴約，於是採訪立即開始進行。我們坐在一家豪華酒店的大廳裡，喝著咖啡，談論我此次新加坡之行的目的。我和暢銷書作家齊格．齊格勒一道接受採訪。齊格勒談的是動力問題，而我談的是「財富的秘密」。

「有一天，我想成為像你這樣的暢銷書作家。」女記者說。我曾經讀過她在報上發表的一些文章，這些文章我曾留下了深刻的印象，她的文章文筆犀利，條理清晰，深受讀者的歡迎。

「妳的文章風格很好，」我回答說，「那麼，是什麼妨礙了妳實現自己的夢想？」

「我的工作似乎沒有任何進展，」她平靜地答道，「人們都說我的小說非常優秀，但是僅此而已。因此，我依然繼續在報社工作，至少，這能掙錢支付賬單。不知道你有什麼建議？」

「有，」我明確地說。「在新加坡，我有一位朋友辦了一所學校，培訓人們從事銷售。

他在這裡為新加坡的許多大公司講授營銷課程，我想如果妳去聽聽他的課，或許會對妳的職業生涯大有助益。」

她有點不快，「你是說我應該去學習賣東西嗎？」

我點點頭。

「你是當真的嗎？」

我又點點頭。但她似乎被什麼東西激怒了。我有點後悔自己所說的話，就問道：「有什麼不妥的嗎？」本來我是想幫忙，現在卻得趕快為自己的建議辯解。

「我擁有英語文學碩士學位，我還有一份體面的工作，我幹嘛要去學做推銷員？我是專業人士，即使我需要到學校接受再教育也是為了獲得一份更好的工作，絕不是是為了去當什麼推銷員，我討厭那些推銷員，他們眼裡只有錢。您說說，我為什麼非得去學習銷售不可？」她邊說邊站起身，用力地抓起了自己的提包，於是採訪草草收場了。

在咖啡桌旁放著她帶來的我寫的第一本暢銷書——《如果你想生活得富裕幸福，要不要去學校？》*If You Want To Be Rich and Happy, Don't Go to School?* 我拿起這本書，見到她黏在封面上的一張便條，「妳看到這個了嗎？」我指著她記的便條。

她低頭去看自己的便條，「什麼？」她困惑地說。

我又指了指她的便條，在便條上她寫著：「羅勃特．清崎，暢銷書作家。」

「上面寫的是最暢銷書的作家，而不是最好的作家。」

「我只是一個平庸的作家，而妳則是一位優秀的作家。我去了銷售學校，而你得了碩士學位。如果把這兩方面結合起來，你就既是『暢銷書作家』又是『最好的作家』。」

她的眼裡怒火中燒，「我從來不會屈尊去學什麼銷售，像你這樣的人士也不應該從事寫作。我是受過專業訓練的作家，而你只不過是一位商人，這並不一樣。」

她扔掉了便條，匆匆穿過巨大的玻璃門消失在新加坡潮濕的清晨裡。

至少，在第二天早上，她給了我一個公平、良好的訪談記錄。

世界上到處都是精明、才華橫溢、受過良好教育以及很有天賦的人，我們每天都會碰到他們，他們就在我們的周圍。

幾天前，我的汽車不大靈光。我把它開進維修廠，一位年輕的機械工幾分鐘之內就把它修好了。他僅憑傾聽發動機的聲音就能確定哪兒有毛病，這使我感到非常驚訝。

然而遺憾的是，真正能夠很好地利用這種非凡才華的人總是太少。

我常常吃驚為什麼有些人才華過人卻只掙到很低的收入，我聽說只有不到5%的美國人年收入在十萬美元以上。一位對藥品貿易很精通的商務顧問曾經告訴我，有許多醫生、牙醫和按摩師在財務上困難重重。以前我總是以為他們一畢業，美元就會滾滾而來。這位商務顧問最後告訴了我一句話，「他們只有一項技能，所以他們掙不到大錢。」

這句話的意思是說，大部分人需要學習並掌握不止一項技能，只有這樣他們的收入才能獲得顯著增長。以前我提到過，財商是會計、投資、市場營銷和法律等各方面能力的綜合。

將上述四種專業技能結合起來，以錢生錢就會容易得多。為了賺錢，只有一項技能的人只能努力工作。

有關綜合技能的典型例子就是那位為報紙撰稿的年輕作家。如果她能勤奮學習掌握市場及銷售方面的技能，她的收入就會顯著增加。要是換了我，我一定會去學習一些有關書籍的廣告課程和銷售方面的課程，然後，我將在一家廣告公司找一份工作，而不是去報社。即使這樣做會使收入降低，但我卻能從那裡學到在成功的廣告中使用的「用幾秒鐘交流」的技巧。我還會花時間去學習公共關係這一重要技能，以便透過靈活的公共關係來賺取數百萬美元。然後，在晚上或周末，去創作我的大作。所有這些都做到以後，我必定能使自己寫的書暢銷，並且，在短時間內，成為一位富有的「暢銷書作家」。

當我第一次帶著我寫的書《如果你想生活得富裕幸福，要不要去學校？》去見一位出版商時，他建議我將書名改為《經濟學教育》。我告訴出版商，如果使用這個書名，我只能賣出兩本書：一本給我的家人，另一本給我最好的朋友，而他們還會希望免費得到它。選擇《如果你想生活富裕幸福，要不要去學校？》這一「可憎的」書名，卻會受到大眾的歡迎。我贊成教育，但認為應進行教育改革，我一直在呼籲改革我們陳舊的教育體制。我之所以選擇這樣一個能使我有機會在更多電視和電台節目中露面的書名，是因為我願意成為「有爭議」的人物。許多人可能認為我沒有什麼深度，但這本書卻一版再版。

一九六九年，我從美國商業海洋學院畢業了。我受過良好教育的爸爸十分高興，因為加州標準石油公司錄用我為它的運油船隊工作。我是一位三副，比起我的同班同學，我的工資不算很高，但作為我離開大學之後的第一份真正的工作，也還算不錯。我的起始工資是一年四萬二千美元，包括加班費。而且我一年只需工作七個月，剩下的五個月是假期。如果我願意的話，可以不休那五個月的假期而去一家附屬船舶運輸公司工作到越南去，這樣做能使年收入翻一番。

儘管前面有一個很好的職業生涯等著我，但我還是在六個月後辭職離開了這家公司，加入海軍陸戰隊去學習飛行。對此，我那受過良好教育的爸爸非常傷心，富爸爸則祝賀我作出的決定。

在學校和在工作單位，最普遍的觀點就是「專業化」，也就是說，為了掙更多的錢或者得到提拔，你需要「專業化」。這就是醫學院的學生們一入學便立即開始尋求某種專長，如正骨術或兒科學的原因。對於會計師、建築師、律師、飛行員及其他很多行業也是這樣。

我那受到良好教育的爸爸也信奉同樣的教條，因此，當他最終得到博士學位時他非常激動。不過他也時常感慨，社會對知識學得多的人給予的獎勵少之又少。

富爸爸鼓勵我去做恰好相反的事情。「對許多知識你只需要知道一點就足夠了」，這是他的建議。所以，多年來我在他位於不同地區的一些公司工作，我還到他的會計部門工作，雖然我從來不想去做一名會計，但他希望我借助「滲透法」學習到會計的一些常識。富爸爸相信我會明白那些「行話」，而且懂得哪些東西是重要的，哪些東西不重要。我也曾做過公共汽車售票員、建築工人、推銷員、倉庫保管員和市場營銷人員。富爸爸則一直在培養我和邁克，他堅持讓我們列席他與自己的銀行家、律師、會計師和經紀人的會議，希望我們能對他的商業帝國的每一個細小部分都能有所瞭解。

當我放棄在標準石油公司收入豐厚的工作後，我受過良好教育的爸爸和我進行了推心置腹的交流。他非常吃驚和不理解我為什麼要辭去這樣一份工作：收入高，福利待遇好，閒暇時間長，還有升遷的機會。他一晚上都在問我：「你為什麼要放棄呢？」我沒法向他解釋清楚，我的邏輯與他的不一樣。最大的問題就在於此，我的邏輯和富爸爸的邏輯是一致的，而他的邏輯與富爸爸的邏輯卻從不相同。

對於受過良好教育的爸爸來說，穩定的工作就是一切。而對於富爸爸來說，不斷學習才是一切。

受過良好教育的爸爸希望我去學校學習做一名船員，而富爸爸則認為我去學校是為了學習從事國際貿易。因此，在我做學生時，我跑過貨運，駕駛過去遠東及南太平洋的大型運輸船、油輪和客輪。富爸爸強調我應乘船在太平洋上航行而不是去歐洲，因為他認為「新興國家」位於亞洲而不是歐洲。當我的大部分同班同學，包括邁克，在他們的兄弟會館內舉辦晚會的時候，我正在日本、台灣、泰國、新加坡、香港、越南、韓國、大溪地、薩摩亞群島和菲律賓等地學習貿易、人際關係、商業類型和文化。我也參加晚會，但不去任何兄弟會館，我迅速地成熟起來了。

受過良好教育的爸爸更加無法理解我為什麼決定放棄工作而加入海軍陸戰隊。我告訴他我想要學習飛行，但實際上我是想學會指揮部隊。富爸爸曾給我解釋說，管理一家公司最困難的工作是對人員的管理。他在軍隊裡待過三年，而受過良好教育的爸爸則免服兵役。富爸爸告訴我學習在危險形勢下領導下屬的重要性，「領導才能是你下一步迫切需要學習的，」他說，「如果你不是一個好的領導人，你就會被別人從背後射中，商業活動就像在戰爭中一樣。」

一九七三年從越南回國後，我離開了軍隊，儘管我仍然熱愛飛行，但我在軍隊中學習的目標已經達到。我在施樂公司找到一份工作，加盟施樂公司是有目的的，不過不是為了物質利益。我是一個靦腆的人，對我而言，營銷是世界上最令人害怕的課程，而施樂公司擁有在美國最好的營銷培訓專案。

富爸爸為我感到十分自豪，而受到良好教育的爸爸則為我感到羞愧。身為一個知識份子，他認為推銷員低人一等。我在施樂公司工作了四年，直到我不再為吃閉門羹而發慌。當我穩居銷售業績榜前五名時，我再次辭去了工作，放棄了又一份不錯的職業和一家優秀的公司。

一九七七年，我創建了自己的第一家公司。富爸爸培養過邁克和我怎樣管理公司，現在我就得學著應用這些知識了。我的第一種產品尼龍帶拉鏈的錢包，在遠東生產，然後裝船運到紐約的倉庫裡，倉庫離我去上學的地方很近。我的正式教育已經完成，現在是我單飛的時候了。如果我失敗了，我將會破產。富爸爸認為破產最好是在三十歲以前，他的看法是「這樣你還有時間東山再起」。就在我三十歲生日前夜，我的貨物第一次裝船駛離韓國前往紐約。

直到今天，我仍然在做國際貿易，就像富爸爸鼓勵我去做的那樣，我一直在尋找新興國家的商機。現在我的投資公司在南美、亞洲、挪威和俄羅斯等地都擁有投資。

有一句古老的格言說，「工作的意義就是『比破產強一點』」。然而，不幸的是，這句話確實適用於千百萬人，因為學校沒有把財商看作是一種智慧，大部分工人都「按他們的方式活著」，這些方式就是：幹活掙錢，支付賬單。

還有另外一種可怕的管理理論這樣說：「工人付出最高限度的努力工作以避免被解雇，而雇主提供最低限度的工資以防止工人辭職。」如果你看一看大部分公司的支付額度，你就會明白這一說法確實道出了某種程度的真實。

純粹的結果是大部分工人從不越雷池一步，他們按照別人教他們的那樣去做：得到一份穩定的工作。大部分工人為工資和短期福利而工作，但從長期來看這樣做卻常常是災難性的。

相反，我勸告年輕人在尋找工作時要看看能從中學到什麼，而不是只看能掙到多少。在選擇某種特定的職業之前或者在陷入產生計而忙碌工作的「老鼠賽跑」之前，要仔細看看腳下的道路，弄清楚自己到底需要獲得什麼技能。

一旦人們為支付生活的賬單而整天疲於奔命，就和那些蹬著小鐵籠子不停轉圈的小老鼠一樣了。老鼠的小毛腿蹬得飛快，小鐵籠也轉得飛快，可到了第二天早上醒來，他們發現自己依然困在老鼠籠裡。

在巨星湯姆·克魯斯主演的電影「征服情海」Jerry Maguire中，有許多非常好的台詞。可能最容易記住的一句是「拿錢給我看看」Show me the money，我覺得這句台詞真算是句真理。那是湯姆·克魯斯離開公司時的一幕，他剛被炒了魷魚，於是就問全公司的人：「誰願意和我一起走？」整個公司鴉雀無聲，空氣都凝結了。只有一位婦女站出來說，「我願意……可是再過三個月後我就能得到升職了。」

這句話在整部電影裡可能是最實在的一句話，這句話道出了人們總是為生計而忙碌工作的原因。我知道，受到良好教育的爸爸每年都在期望加薪，但每年他都十分失望。於是他不得不回到學校去獲得更高的學歷資格，以便能得到另一次加薪的機會。但是很快，他又會再次失望。

我經常向人們提出的一個問題是：「你每天忙碌的目的是什麼？」就像那隻從不停歇的小老鼠一樣，我想知道人們是否會想一想這樣辛苦工作，到頭來究竟是為了什麼？未來的日子又該怎麼過呢？

美國退休者協會前任會長西裡爾·布里克弗利克的報告說，私人養老金管理正處於一種混亂狀態。在今天有50％的為政府工作的勞動力沒有退休金，另外的50％的人中有75％至80

%的人的養老金不能足額發放，他們每月只能領到五十五美元、一百五十美元或三百美元。

克萊格·S·卡佩爾在他的《退休的秘密》*The Retirement Myth* 一書中寫道：我採訪過一家主要的全國性養老金諮詢公司，並同一位專門為高級管理人員制定退休計劃的經理談話，當我問她那些非白領勞動能得到多少養老金收入時，她聳聳肩，「如果戰後生育高峰期出生的這一代人發現，當他們年老的時候並沒有足夠的錢來維持生計，他們會大失所望的。」卡佩爾接著分析了原先的「退休福利計劃」和後來更加不可靠的「401K計劃」之間的區別。對於今天仍在工作的大部分人來說這可不是一幅美妙的圖畫，而這僅指退休金，如果加上醫療和長期家庭護理費用，這幅圖景將會更加可怕。在一九九五年出版的一本書中，卡佩爾指出平均每年的家庭護理開支高達三萬美元到十二萬五千美元。一九九五年，當他去自己所在地區的一家並沒有什麼豪華設施的家庭護理所時，發現價格竟達到每年八萬八千美元。

在一些擁有社會醫療保障的國家，許多醫院不得不作出一些困難的抉擇，例如「讓誰活下來而讓誰不得不死去」。他們純粹是根據這些病人有多少錢、年紀有多大而作出這些決定的。如果病人年老了，他們常常將醫療服務提供給更年輕的人，而那些又老又窮的病人只好排在隊伍的末尾。因此，就像富人能得到更好的教育一樣，富人也能使自己活得更長一些，而那些貧窮的人只好早早死去。

所以，我懷疑，是否工人們只有在看到將來的情形，或者等到下一次付賬的時候，才會對自己的未來產生疑問呢？

當我對那些想掙更多錢的成年人演講時，我總是建議他們對自己的人生要有一個長遠的眼光。我承認為了金錢和生活安穩而工作是非常重要的，但我仍然主張去尋找另一份工作，以便從中學到另一種技能。我常常提議，如果想學習銷售技能的話，最好進入一家擁有連鎖營銷系統或稱為多層次市場的公司。這類公司多半能夠提供良好的培訓專案，幫助人們克服失敗造成的沮喪和恐懼心理，而這種心理往往是導致人們不能取得成功的主要原因。從長遠來看，教育比金錢更有價值。

當我提出這些建議時，我常常聽到這樣的反應，「這太麻煩了」，或者「我只想做我感興趣的事情」。

對於「太麻煩了」的說法，我問：「因此，你寧可辛苦工作一生，並把掙來的50%的收入交給政府？」對於另一種說法說「我只想做我感興趣的事情」，我會說，「我對進健身房做運動並不感興趣，但我還是去練習，因為我想身體更好，活得更長久。」

遺憾的是有一些古老的說法仍然頗有道理，像「你無法教會一匹老馬新的技巧」，除非一個人習慣於變化，否則改變自我是十分困難的。

但是，為了你們中間那些對於「工作是為了學習新東西」的觀點持游移不定態度的人，我還想說出一句話作為鼓勵：生活就像我去健身房，最痛苦的事情是作出去鍛練的決定，一旦你過了這一關，以後的事情就好辦了。有很多次，我害怕去健身房，但是只要我去了，我心裡就會感到非常愉快。做完了健身練習後，我總是非常高興地對自己說：做運動真好！

如果你堅持不願意學習新東西，僅願意在你的領域裡成為專家，那麼你一定要確定你工作的公司是有工會的，而且工會會保護專門人才。

對我個人來說，我不傾向於勞資雙方的任何一方，因為我能理解雙方各自的需要和利益。如果你按學校所教育的那樣去做，成為一位專門人才，那麼最好尋求工會的保護。例如，如果我繼續我的飛行生涯，我就會尋找一家擁有強有力的飛行員工會的公司。為什麼？因為我將終生只在該行業裡學習到一種有價值的技能，如果我被這一行業所遺棄，我一生所學的技能對於其他行業便毫無用處。一位擁有十萬小時駕駛大型運輸機紀錄的高級飛行員，每年能掙十五萬美元，可是一旦下崗，就很難找到一個收入相當在學校教書的工作了。技能不一定能從一個行業轉到另一個行業，在航空業受到看重的飛行員的技能，在學校教育系統並不受重視。

甚至對於今天的醫生來說也同樣適用。隨著醫學的變化，許多醫藥專家需要加入「健康和醫療組織」這樣的醫療機構，教師也一定要求是工會會員。在現今的美國，教師工會是所有工會中最大、最富有的一個，全國教育聯合會擁有巨大的政治影響。教師們需要工會的保護，因為他們技能的價值也只是限於學校教育系統內部。因此法則就是：如果你是高度專業化人士，就加入工會，這是應該做的聰明事。

當我在自己教的班上問到「你們中間有多少人能夠做出比麥當勞更好的漢堡」時，幾乎所有的學生都舉起了手。我接著問，「如果你們當中大部分人都能做出比麥當勞更好的漢堡，那為什麼麥當勞比你們更能賺錢？」

答案是顯而易見的：麥當勞擁有一套出色的商務體系。許多才華橫溢的人之所以貧窮，是因為他們只是專心於做好漢堡，而對如何運作商務體系卻知之甚少。

我有一位夏威夷的朋友是很棒的藝術家，但他掙的錢屈指可數。有一天，他母親的律師打電話告訴他，他母親留給他三萬五千美元，這是他母親的房地產在扣除律師費用和政府稅收後的餘額。不久後，他發現了一個可以促進他的事業的「機會」。因此，他需要利用這筆錢的一部分來做廣告，以擴大他的影響。兩個月後，他的第一個四色整頁廣告出現在一份昂貴的雜誌上，其讀者主要是富人。然而廣告刊登了三個月後，沒有收到任何效果，他所繼承的遺產卻被全部花光了。現在他想以誤導為緣由控告那家雜誌。

這是有關只懂做好漢堡而不懂得如何將漢堡賣出去的一個典型例子。我問他學到了什麼，他只是回答說「廣告商都是騙子」。於是我問他是否願意學習一門銷售課程和一門直銷課程，他回答：「我沒時間，也不願意浪費錢。」

世界上到處都是有才華的窮人。在很多情況下，他們之所以貧窮或財務困難，或者只能掙到低於他們本來能夠掙到的收入，不是因為他們已知的東西而是因為他們未知的東西。他們只將注意力集中在提高和完善做漢堡的技能上，卻不注意提高銷售和發送漢堡的技能。也許麥當勞不能做最好的漢堡，但他們卻能夠在做出一般水平的漢堡的前提下，做最好的銷售和發送工作。

窮爸爸希望我有所專長，這也是在他看來能夠獲得更高收入的途徑。即使是在夏威夷州長通知他不能再在州政府工作時，我受到良好教育的爸爸仍然繼續鼓勵我學些專長。後來，受到良好教育的爸爸接手了教育工會的工作，為那些高級專業人才和受到良好教育的人士能得到更多的生活保障而努力。我們經常爭論此事，但我知道，他從不認為過分專業化是導致這些人需要工會保護的原因。他不能理解，為何你越專業化，就越是陷入陷阱，無法自拔。

富爸爸建議我和邁克「培養」自己。許多企業也做同樣的工作，他們在商業學校尋找一位年輕聰明的學生，並開始「培養」他，希望有朝一日他有能力領導這家公司。因此，這些聰明的年輕職員並不去專門鑽研某一個部門的業務，而是從一個部門轉移到另一個部門，從而學到整個企業系統各個方面的知識。富人們也常常這樣「培養」他們的孩子或別人的孩子，藉由這樣做的過程，孩子們能夠對如何經營一家企業有一個整體的認識，並能知道不同部門之間的相互關係。

對於經歷過二次世界大戰的那一代人來說，從一家公司跳槽到另一家公司被看作是一件「壞事」，而今天人們卻認為這是精明之舉。既然人們願意從一家公司跳到另一家公司，而不願意尋求更深入的專業知識，那為什麼不尋求多「學」、進而多「掙」呢？儘管從短期來看，你可能因此掙得較少；但從長期來看，你將從中獲得巨大的收益。

成功所必要的管理素質包括：

一、對現金流的管理；
二、對系統（包括你本人、時間及家庭）的管理；
三、對人員的管理。

最重要的專門技能是銷售和懂得市場營銷。銷售技能是個人成功的基本技能，它涉及到與其他人的交往，包括與顧客、雇員、老闆、配偶和孩子的交往。而交際能力，如書面表達、口頭表達及談判能力等對於一個人的成功更是至關重要。我就是通過學習各種課程、買來教學錄影帶等來增長知識並不斷提高自己的這一技能而最終獲得成功的。

正如我提到過的那樣，我受過良好教育的爸爸工作越來越努力，也越來越具有競爭力，但他也更深地陷入對自己專業特長的依賴之中。雖然他的工資收入增長了，但他的選擇機會卻消失了。等到失去了政府中的工作，他才發現自己從職業選擇上來講是多麼地無能為力。這就好比職業運動員突然受傷或者年齡太大而無法再參加比賽一樣，他們曾經擁有的高收入工作已經失去，而有限的技能又使他們無法另闢蹊徑。我想，這就是為什麼從那時起，我那受過良好教育的爸爸會變得如此支援工會的原因了，因為他意識到工會能給他帶來很大的利益。

富爸爸鼓勵我和邁克對許多東西都去瞭解一點兒。他鼓勵我們去和比我們更精明的人一起工作，並把他們組織成為一個團隊。現在這種做法被稱為專家組合。

今天，我看到以前的學校教師現在每年能掙到數十萬美元，他們能掙這麼多是因為他們不僅在本專業擁有特長，而且也擁有其他方面的技能。他們既能教書，也能做銷售和市場。我還不知道是否有比銷售和市場更重要的技能，但掌握銷售和市場技能對大部分人來說是困難的，這主要是因為他們害怕被拒絕。所以，你在處理人際交往、商務談判和控制被拒絕時的恐慌心理方面做得越好，生活就會越輕鬆。就像我對那位想成為「暢銷書作家」的女作家所建議的一樣，我今天也給其他所有的人這個建議。在專業技能上非常精通既是優勢也是弱點。我有許多朋友，他們非常有天賦，但他們不善於與其他人進行更多的交流去發揮他們的天賦，結果他們掙的錢少得可憐。我建議他們花一年時間來學習銷售，即使什麼也沒掙到，但他們處理人際關係的能力會大大提高，而這種能力是無價的。

除了成為好的學習者、銷售者和市場營銷者外，我們還需要成為好老師、好學生。要想真正富有，我們要能付出也要能得到。對於那些被財務或職業所困的人來說，他們常常既缺乏給予，也無力索取。我知道許多人之所以貧窮是因為他們既不是好教師也不是好學生。

我的兩個爸爸都是雄心勃勃的人，他們都把付出放在第一位。教學是他們付出的途徑之一，他們付出的越多，得到的也越多。但一個明顯的區別是對金錢的付出。我的富爸爸給予別人許多錢，他把錢捐給教堂、慈善機構以及他的基金會，他懂得如果想要得到金錢，就必須先付出金錢。付出金錢是那些非常富有的家庭保持財富的一個秘訣，這也是例如洛克菲勒基金會、福特基金會這樣的機構存在的原因。建立這些機構是為了獲取財富，透過定期付出財富再去增加更多的財富。

我那受過良好教育的爸爸總是說：「當我有多餘的錢時，我就把它捐出來。」問題是他從來就沒有多餘的錢。因此他工作更加努力以掙到更多錢，卻沒有注意到一條最重要的金錢法則：「給予，然後獲得」。相反，他卻信奉「得到了然後再付出」。

總之，我同時受到兩個爸爸的影響。一方面我是資本主義的堅定信奉者，喜歡以錢生錢的遊戲；另一方面我又是一個懷有社會責任感的教師，深深關注貧富之間日益加深的鴻溝。我個人認為，尚不完善的教育體系應對這一鴻溝的加深負有責任。

Chapter eight

Overcoming Obstacles

克服困難

第八章　克服困難

人們經過學習，掌握了財務知識，但在通向財務自由的道路上仍面臨著許多障礙。我們知道，資產專案可以為生大量的現金流，使人們自由地過上夢想中的生活，而不必整天為了生計忙碌工作，但掌握財務知識的人很多時候仍然不能擁有充裕的資產專案，其主要原因有五個：

一、恐懼心理；

二、憤世嫉俗；

三、懶惰；

四、不良習慣；

五、自負。

原因之一：對可能損失金錢的畏懼心理。我從來沒有遇到過喜歡損失金錢的人，但在我的一生中，也從來沒有遇到過一位從未損失過金錢的富人。但我曾經遇到過許多從未損失過一毫的窮人——我是說在投資活動中。

對損失金錢的恐懼是確實存在的，每個人都有這種恐懼心理，甚至富人也有。但恐懼本身並不是問題，問題在於你如何處理恐懼心理，如何處理損失問題。處理失敗方式的不同造成了人們生活的差異，不僅是對金錢，對生活中的任何事情的處理都是這樣。富人和窮人之間的主要差別在於他們處理恐懼心理的方式不同。

感到恐懼是正常的，在涉及到金錢時表現出怯懦也是正常的，即使如此你仍然有機會變得富有。我們每個人都在某些方面是英雄，而在另外一些方面是懦夫。我朋友的太太是一位急救室護士，當她面對流血的病人時，會飛快地衝上去救治，可是當我提到投資時，她卻避而不聽。不過當我看到鮮血時，卻決不會跑上去，而是會躲到一邊。

我的富爸爸理解人們對金錢的恐懼症。「一些人非常怕蛇，一些人非常害怕失去金錢，這都是恐懼症。」因此，他有個克服害怕失去金錢的恐懼心理的小訣竅：「如果你討厭冒險，對金錢損失感到擔心，就早點動手積累屬於你的金錢。」

這也是為什麼銀行建議你在年輕時把儲蓄當作一種習慣的原因。如果你在年輕的時候就開始積累了，你就更容易致富。當然，我並不認為儲蓄是一種好的財富積累方法，我不願意在這裡詳細討論這個問題，但應該看到在那些從二十歲開始儲蓄與從三十歲開始儲蓄的人之間，的確存在著巨大的差異。

有人說這世界的奇蹟之一就是複利計息。據說，購買曼哈頓島是有史以來最廉價的交易之一，紐約被以價值二十四美元的廉價小玩意買下來。然而，如果將那二十四美元用於投資，以8%的年利率計算，到一九九五年這二十四美元就會變成二十八萬億美元。如果把二十四美元存起來，到今天也可以把曼哈頓重新買下來，特別是以一九九五年的房地產價格計算的話。

我的鄰居為一家大電腦公司工作，他在那兒幹了二十五年。再過五年多一點的時間後，他將離開那家公司，按「401K計劃」他將得到四百萬美元。這些錢大部分將被投資於高成長的共同基金，他也可以將其轉換成公司債券和政府債券。他離開公司時只有五十五歲，每年卻能獲得超過三十萬美元的現金流入，這比他的工資收入還要高。所以，如果你害怕損失或者討厭冒險，你至少可以做到這一點。但是，你必須早行動而且制定一個完善的退休計劃，此外你還要聘請一位自己信得過的財務顧問，以便在你作出任何投資決定之前，他能對你進行指導。

可是，如果你沒有很多時間或者希望早點退休，又該怎麼辦呢？你怎樣來應付損失金錢的恐慌心理呢？

我的窮爸爸在這方面什麼也沒做。他只是一味迴避這個問題，拒絕進行討論。

我的富爸爸恰恰相反，他建議我要像德克薩斯人那樣思考。「我喜歡德克薩斯州和德克薩斯人，」他常常說：「在德克薩斯，什麼東西都大氣。如果德克薩斯人贏了，他們就會贏得很多；如果他們輸了，也會令人稱奇。」

「難道他們喜歡失敗嗎？」我問道。

「我不是這個意思，沒有人喜歡失敗。『如果一定要讓我看到一個失敗者，就讓我看到一個快樂的失敗者』，」富爸爸說，「這就是德克薩斯人對於風險、收益和失敗的態度。這是他們駕馭生活的方式，他們活得很大度，不像這兒的大部分人碰到金錢問題時，生活態度像斜齒鯿一樣。斜齒鯿在有人用光照到牠們時會非常害怕，而這種人在雜貨店職員少找給他們兩毛五分錢時，便會抱怨個不停。」

富爸爸接著解釋說：「我最喜歡的是德克薩斯式的生活態度，他贏了會感到驕傲，輸了也會自我誇耀。德克薩斯人有一句諺語，『如果你即將破產，那就破產得更嚴重些』。他不願意讓你認為他僅僅因為一幢複式公寓而破產。」

富爸爸經常告訴我和邁克，在財務上不能獲得成功的最大原因是大部分人的做法過於安全。「人們因為太害怕失敗，所以才會失敗。」這是他常說的話。

對此，前全美橄欖球聯賽的傑出球員弗朗．塔肯頓還有另一種說法：「勝利意味著不害怕失敗。」

在我的生活中，我注意到失敗常常伴隨著成功。在我終於學會騎自行車之前，我曾經跌倒過許多次，我從來沒有遇到過不曾打丟球的高爾夫球手，也從未見過不曾傷心過的戀人，更未曾見過從不損失金錢的富人。

因此，對大多數人來說，他們在財務上不能獲勝的原因是因為對他們而言損失金錢所造成的痛苦遠遠大於致富所帶來的樂趣。德克薩斯人的另一句諺語講道：「人人都想上天堂，卻沒有人想死。」可是不死怎麼能進入天堂呢，這就如同大部分人夢想發財，但卻害怕在投資過程中損失金錢，所以他們永遠進不了「天堂」。

富爸爸過去常常給我和邁克講他到德克薩斯旅行的故事。「如果你真的想學習如何面對風險、損失和失敗，就去聖安東尼奧的阿拉莫。」阿拉莫的傳說是關於勇者在知道毫無戰勝怪物的希望的情況下依然選擇戰鬥的故事，他們寧可選擇死亡也不願意投降。這是一個值得學習的激勵人心的故事，然而，這的確是一次悲壯的軍事失敗。你想知道德克薩斯人面對失敗時，是怎樣做嗎？他們高聲呼喊：「記住阿拉莫！」

我和邁克多次聽到這個故事。在做大生意之前或者感到不安的時候，富爸爸就會給我們講這個故事；當他把一切仔細安排好或者一件事情結束的時候，他也會給我們講這個故事；每次當他擔心犯了錯誤或害怕損失金錢時，他仍會給我們講這個故事。這個故事給了他力量，因為它總在提醒富爸爸，只要充滿信心，努力奮鬥，總能將財務損失變成財務贏利的。富爸爸知道失敗只會使他更加強大，更加精明。他並不願意損失，但他清楚自己是什麼樣的人，知道該怎樣去面對損失。他會接受損失並將它變成贏利，而這也是他最終成為贏家而別人成為失敗者的最根本原因；同時這也是當別人退出時，他依然有勇氣去衝過終點線的原因。「這就是我為什麼非常喜歡德克薩斯人的原因。他們接受失敗的現實並把它轉變成通向成功道路上的一個個插曲。」

今天我對富爸爸的這番話有了越來越深的體會：「德克薩斯人並不掩飾他們的失敗，他們愈挫愈勇，他們接受自己失敗的現實並將失敗轉化為動力。失敗激發德克薩斯人成為成功者，而這個公式並不僅只適用於德克薩斯人，它適用於所有的成功者。」

就像我前面說過的：從自行車上跌下來是學習騎車的一個組成部分，我還記得從車上摔下來使我更加堅定地要學會騎車；同樣的，世界上沒有從未打失過一球的高爾夫球球手，作為一位職業高爾夫球高手，打失一個球或輸掉一場比賽只會激勵他做得更好，練得更努力，學更多的東西。對於勝利者，失敗激勵他們；對於失敗者，失敗會擊垮他們。

用洛克菲勒的話來說，就是「我總是試圖將每一次災難轉化成機會」。

作為一個日裔美國人，我可以說這樣的話。許多人說珍珠港事件是美國人的失誤，而我卻認為這是日本人的最大失誤。在電影「虎、虎、虎」Tora，Tora，Tora 中，一個悲哀的日本海軍上將對自己的親密助手說：「我擔心我們搖醒了一個沉睡著的巨人」。果然「記住珍珠港」成為一句具有巨大感召力的口號，它把美國最大的損失之一變成了取得勝利的原因之一，這次巨大的失敗反而給了美國力量，從此美國很快就崛起成為一個世界強國。

失敗會激勵勝利者，也會擊垮失敗者，這是勝者之所以勝利的最大秘密，也是失敗者所不知道的秘密。重複一下弗朗．塔肯頓的話：「勝利意味著不畏懼失敗」。像弗朗．塔肯頓這樣的人不害怕失敗，因為他們瞭解自己，他們和所有人一樣討厭失敗，但失敗只會激發他們做得更好。要知道討厭失敗和害怕失敗之間有著巨大的差異，大部分人因為太害怕失敗而失敗，他們甚至會因一幢兩套房的複式公寓而完全破產，財務上他們做得過於安全、規模太小，他們買大房子、大轎車，卻不去做大的投資。90%的美國公民財務困難的主要原因就在於他們是為了避免損失而理財，而不是為了贏利而理財。

一部分人會選擇去找財務顧問或會計師、股票經紀人等，購買一個安全的投資組合。他們中的大部分人將大量現金以大額存單、低收益債券，可以在共同基金內部買賣的共同基金，以及一點私人股票的形式進行投資。這是一個安全而合理的投資組合，卻並不是一個贏利的投資組合，到底這是人們為避免損失而做的一種投資組合。

比起其他超過70%的人來，這可能還算是一個較好的投資組合。對於另外70%的人來說，即便是這種組合可能依然讓他們感到擔心，因此除了儲蓄他們根本不做任何投資。畢竟，一個安全的投資計劃要比什麼投資計劃都沒有強得多。一個安全的投資計劃對於偏好安全的人來說是一個很好的計劃，但是，安全地、「平衡地」投資於一個投資組合卻不是一個成功的投資者應有的投資行為方式。如果你沒有什麼資金而又想致富，你首先必須「集中」於一點，而不是追求「平衡」或者說是「分散風險」。那些成功者，在最初並不是追求「平衡」的，追求平衡的人只會在原地踏步而不會前進。要取得進步，你就必須先做到「不平衡」，並注意你怎樣才能使自己不斷取得進展。

愛迪生不追求平衡，他集中精力於某樣東西；比爾．蓋茲也不追求平衡；索羅斯把注意力緊緊盯在一點上；喬治．巴頓從不會把他的坦克布署在很長的戰線上，而是把坦克集中起來攻擊德國防線上最薄弱的地方，與此相反，法國人佈置了漫長的馬奇諾防線，其結局眾所周知。

如果你有致富的願望，你就必須集中精力。把很多雞蛋放在較少的籃子裡（當然你還要確信籃子的結實程度）。不要把很少的雞蛋放在許多籃子裡。

如果你不願失敗，那就安全地投資；如果損失會使你元氣大傷，那就穩妥一點，去做一個平衡的投資。你要是已經超過了二十五歲，並且害怕冒險，那就不要改變自己的投資方式。但以安全的方式進行投資，就要盡早起步，要早點開始積累你的「雞蛋」，因為以這種方式積累需要大量的時間。

然而，假使你夢想得到財務自由——從「老鼠賽跑」般的忙忙碌碌中解脫出來，你要自問的第一個問題應該是：「我該如何去面對失敗？」如果失敗能激勵你去爭取勝利，可能你就應該去爭取每一次投資機會——但僅僅是可能；如果失敗會使你損失慘重，或者使你煩躁不安，你就會像一個愣頭青一樣遇到什麼不如意的事情就打電話找律師提起訴訟，那就最好做穩妥性的投資，繼續你的日常工作，或許購買些債券、共同基金，但是要記住，這些工具也同樣存在風險，即使它們要較為安全一些。

我說了這麼多，還列舉了德克薩斯人和弗朗·塔肯頓的故事和言論，只是想說明積聚資產專案非常容易，這就好比是玩一場低智慧遊戲，不需要受到很多教育，五年級數學水平就夠了。然而，將資產用於投資卻是一種高智商遊戲，它需要膽量、耐心和對待失敗的良好態度。失敗者迴避失敗，而失敗本來是可以使失敗者轉變為成功者的。所以一定要「記住阿拉莫」。

原因之二：克服憤世嫉俗的心理。「天要塌下來了，天要塌下來了。」很多人都知道「小雞的故事」，小雞總是圍著穀倉轉，警告即將到來的厄運。我們知道有的人也愛這麼做，其實我們每個人內心也都有「小雞」式的想法。

就像我前面指出的那樣，憤世嫉俗的人簡直就像「小雞」一樣，每當他們心裡害怕、疑慮的時候，就會表現得像一隻「小雞」。

我們會對自己產生懷疑：「我不太精明」、「我不夠好」、「誰誰都比我強」等等，懷疑常常使自己寸步難行。我們總是自問「要是這樣的話該怎麼辦」，「要是經濟恰好在我投資之後開始衰退怎麼辦」，或者「要是我失去了工作而不能償還借款怎麼辦」。有時我們的朋友或者關係密切的人會主動提醒我們注意自己的某些缺點，他們常常會說，「什麼讓你認為能做這些事」或者說「如果這是一個好主意，那其他人怎麼不做呢」或者是「這不會起什麼作用的，你根本不知道自己在說些什麼」。這些懷疑的話的影響如此強烈，以致於我們無法將自己的計劃付諸行動，可怕的感覺在心中滋生，有時我們甚至為此而夜不能寐。我們無法向前邁進，因為我們想守著那些安全的東西，而機會卻從身邊溜掉了。我們眼睜睜地看著時光流逝，心中的結使我們無所作為。在生活之中或多或少我們都會產生這樣的狀態。

彼得．林奇，來自「忠誠馬吉蘭」共同基金，把「天要塌下來」的「警告」比作是「噪音」，而我們都聽過這樣的「噪音」。

「噪音」既有來自我們頭腦內部的，也有來自我們外部的，通常會來自朋友、家庭、同事和新聞媒體。林奇回憶在二十世紀五〇年代，那時候，新聞媒體中充斥著核子戰爭的威脅，人們開始修築戰時掩護所，儲存食物和水。如果他們明智地將資金投在市場上，而不是用來建築戰時掩護所，他們今天可能已經實現了財務上的獨立自主。

幾年前當洛杉磯爆發騷亂時，全國的槍枝銷售額都上升了。在華盛頓州有個人因吃了漢堡中的生肉致死，於是亞利桑那州衛生部門命令餐館將所有的牛肉完全煮熟。一家藥品公司在一家全國性電視台商業性地播放人們患上了流感的節目，當感冒患者上升的時候，該公司的感冒藥銷售額也隨之增長。

大部分人之所以貧窮，是因為在他們想要投資的時候，周圍到處是跑來跑去的「小雞」，叫嚷著「天要塌下來了，天要塌下來了」。「小雞」們的說法很有影響力，並在我們每個人的心中引起共鳴。因此，我們常常需要極大的勇氣，不讓謠言和杞人憂天式的懷疑加劇我們的恐懼心理和對自己的疑慮。

一九九二年，我有一個叫理查德的朋友從波士頓來到鳳凰城探訪我和我太太，他對我們經營股票和房地產非常著迷。當時鳳凰城的房地產價格非常低，我們花了兩天時間，向他介紹在我們看來是獲取現金流和資本收益的那些極好的機會。

我和我太太並不是房地產專家，我們僅僅是投資者。在調查了一處位於附近社區的單元房的情況後，我們打電話給一家房地產公司，並由這家公司在那天下午將這套單元房賣給了我的這位朋友。一套兩居室的城鎮住宅售價僅為四萬二千美元，類似的單元要賣到六萬五千美元。他找到了一筆廉價交易，於是很高興地買下了它並回到波士頓。

兩周後，那家房地產公司打電話給我，說我的朋友反悔了。我立即給他打電話，想弄清楚原因。他只是說，他對他的鄰居說了這件事，而鄰居對他說這是一筆糟糕的交易，他支付的價格太高了。

我問理查德，他的鄰居是不是一位投資家，理查德回答說「不是」。當我問他為什麼會聽從鄰居的話時，理查德沒有正面回答，只是說他想再觀望一陣。

到了一九九四年，鳳凰城的房地產市場開始回暖。一套小單元房的租金每月達一千美元，冬天最高時達到過二千五百美元，一九九五年這套單元房價格為九萬五千美元。理查德當時需要投入的全部資金僅為五千美元，這樣他就可以開始脫離「老鼠賽跑」一般的勞碌工作了，而今天，他仍然一事無成。鳳凰城的廉價交易依然存在，不過現在你再想要找到它們會困難一些了。

理查德的反悔並未讓我感到驚訝，這被稱為「買家反悔」。這種心理影響著我們所有的人。當我們反悔時，意味著我們疑慮了，「小雞」得逞了，而實現財務自由的機會卻喪失了。

在另一個例子中，我透過持有一小部分擁有稅收留置權的資產，來替代大額存單投資。這使我的錢每年能掙到16%的利息，已經大大高於銀行提供的5%的利率。這種權利受到房地產法和州法律的保證，且這種保證的可靠性強於大多數銀行存款。事實證明這種投資的方式使資金十分安全，只是缺乏流動性，所以我把它們看作是二至十年期限的大額存單。然而幾乎每次當我告訴某個人（特別是當他擁有大額存單投資時），我以這種方式持有資金，他們就會告訴我這樣做太冒險。他們還會告訴我為什麼我不應該那樣做，但當我問他們從哪兒得到這些資訊時，他們就會說是來自朋友那裡或是投資雜誌。他們從來沒有這樣投資過，但他們卻老是勸這樣做的人不要這樣做，我所尋求的最低收益率為16％，可是那些顧慮重重的人卻願意接受5％的投資收益率。懷疑的代價真的太高昂了。

我的觀點是：顧慮和憤世嫉俗的心態使大多數人一直生活得貧困但很安全。現實世界等著你去致富，但就是這些顧慮使人們擺脫不了貧窮。正如我所說，擺脫「老鼠賽跑」的生活在技術上講是十分容易的，這不需要接受太多教育，但那些顧慮使得大多數人寸步難行。

「憤世嫉俗者從來不會贏。」富爸爸說。「未經證實的懷疑和恐懼會產生憤世嫉俗者。憤世嫉俗者抱怨現實，而成功者分析現實。」富爸爸解釋說，埋怨使人頭腦受蒙蔽，而分析使人心明眼亮。進行分析能使成功者看到那些憤世嫉俗者無法看到的東西，也能發現被其他人都忽視了的機會，而發現人們忽視了的機會的能力正是取得成功的關鍵。

對任何尋求財務獨立或自由的人來說，房地產都是一個強有力的投資工具。可以說這是一種獨一無二的投資工具。然而，每次當我提到房地產時，我經常聽到人們說：「我不想去修理廁所」。這就是林奇所說的「噪音」，也是我的富爸爸所說的憤世嫉俗者的說法，這種人只會批評抱怨，而不去分析現實。有些人寧可讓顧慮和恐懼蒙蔽思想，也不願睜開眼睛去觀察現實。

因此當某人聲稱「我不想去修理廁所」時，我就反擊說「誰跟你說過我想去」，他們似乎把修理廁所這件事看得比他們想要得到的東西更重要。我在談論從「老鼠賽跑」中獲得自由，他們卻把注意力放在廁所上，這就是使人們生活貧窮的思維模式。他們總是批評而不是去分析，總是看到細節上的麻煩而看不到解決麻煩之後總體上的巨大收益。

「『我不想要』是成功的一個關鍵。」富爸爸這樣說。

因為我也不想去修理廁所，我費了很大勁兒尋找了一位房地產管理者為我代理廁所修理工作，因為找到了一位好的房地產管理者來維修我的房子和公寓，我的這些資產項就會增值，這意味著我的現金流就會上升。更重要的是，一位好的房地產管理者是在房地產交易中成功的關鍵，能有助於我去買入更多的房地產，因為我不用去顧慮修理廁所了。因此對我來說，尋找一位好的房地產管理者比房地產本身更重要。此外，一位好的房地產管理者常常會打聽到比在房地產經營機構聽到過的更多的大額交易，這一點也有助於使我的房地產增值。

這就是我的富爸爸所說的「『我不想要』是成功的關鍵」的含義所在。因為我也不想去維修廁所，我才想出買更多的房地產和將自己從「老鼠賽跑」中解脫出來的辦法。那些說「我不想去修理廁所」的人總是拒絕自己去使用這一強有力的投資工具，修廁所總比他們的自由更重要。

在股票市場上，我也經常聽到人們說，「我不想有損失」。我不知道是什麼使他們認為我或其他投資股市的人喜歡損失。他們不是去分析實際，而只是對另一種強有力的投資工具——股票市場不予理睬。

一九九六年十二月，我駕車和一位朋友經過鄰近地區的一座加油站。我的朋友看了看，發現油價上漲了。我的朋友總是憂心忡忡，他也是那種「小雞」型的人，對他來說，天似乎總像要塌下來，而且通常是要壓在他的頭上。

當我們到家時，他給我列舉了所有資料，以說明為什麼在即將到來的幾年裡油價會趨於上漲。我以前從未讀過這些資料，即使是我已擁有一家營運中的石油公司的主要股份後也是如此。根據這些資訊，我立即開始尋找並找到了一家新的價值被低估了的石油公司，這家公司正在勘探新的地下石油儲備，這使我的經紀人對這家新公司感到很興奮。我後來買下了它65%的股份，共一萬五千股。

在一九九七年二月，還是這位朋友，駕車和我經過同一座加油站。的確沒錯，每加侖汽油的價格上升了幾乎15%，這位憂心忡忡的人非常擔憂並且不停地抱怨。我笑了，因為在一九九七年一月，那家小型石油公司找到了石油，自從他第一次給我分析了那些資料以後，我買下了一萬五千股股票，現在每股價格已上升到三美元以上。如果我的朋友所說的是正確的話，石油價格還會持續上揚，我的收益還會增加。

他們心裡的「小雞」使他們不是去分析問題，而是封閉了自己的思想。如果大多數人懂得股票市場上「橫盤」（預定低點拋售）意味著投資機會的話，就會有更多的人去投資以贏利而不是投資以避免損失。一次「橫盤」就像一個電腦指令，當價格開始下跌時，自動出售你的股票，以幫助你使損失最小化、收益最大化。對於那些害怕受到損失的人來說，這是一個極好的工具。

因此，每當我聽到人們執迷於自己的「我不想要」而不悟，不去注意他們所想要的東西時，我就知道他們腦子裡的「噪音」一定很響。「小雞」掌管了他們的思維，正在叫喊「天要塌下來了，廁所壞了」。於是，他們避開了自己的「不想要」，卻因此付出了巨大的代價——他們可能將永遠得不到自己在生活中想要的東西。

富爸爸教給我看待「小雞」的一種方式，「要像桑德斯上校那樣去做」。在桑德斯上校六十六歲的時候，他失去了所有的產業，開始靠社會保險金生活，而那點錢根本不夠用，於是他走遍全國推銷他的炸雞方法。在他最後得到肯定回答之前，曾被拒絕一千零九次。然而透過不懈努力，他在大部分人打算放棄的年齡又開始了邁向百萬富翁的道路。「他是一位勇敢、堅韌不拔的人」，富爸爸說的就是肯德基的創始人哈蘭・桑德斯上校。

所以，如果你顧慮重重，感到有點兒害怕，不妨像桑德斯上校對待自己的「小雞」那樣去做：「油炸」這只小雞。

原因之三：懶惰。忙碌的人常常是最懶惰的人。我們聽說過一位商人努力工作掙錢的故事，他努力工作希望為自己的妻子兒女提供更好的生活條件。他在辦公室長時間地工作，在周末還把工作帶回家去做。一天，他回到家，卻發現人去樓空，他的妻子帶著孩子離開了。他早就知道他和自己妻子之間有一些問題，可他卻寧願忙於工作，而不去改善雙方的關係。可悲的是他在工作中的表現也走下坡了，最後他失去了這份工作。

我經常遇到那些過分忙於工作而不顧及到自己身體健康的人，原因是一樣的：他們很忙，他們把忙碌工作當作逃避自己不想面對的一些問題的途徑。沒有人去告訴他們這些，他們把難題掩蓋起來。事實上，假如你去提醒他們，他們還常常會感到不快。

如果他們並不忙於工作或與孩子在一起，他們常常會忙著看電視、釣魚、打高爾夫球或者購物。總之，把問題掩蓋起來使他們逃避了一些重要的事情。這是最普遍的一種懶惰形式，一種藉著忙碌來表現的懶惰。

那麼，什麼能夠治療這種惰性呢？答案就是「貪婪」一點。

對於我們許多人來說，我們是在把貪婪或欲望看作壞事的環境中成長起來的。「貪婪的人都是壞人。」媽媽常常這樣說。然而，我們的心裡都在渴望著擁有那些美好、新奇或令人高興的東西。因此，為了控制這種欲望，父母便常常想辦法教導我們用負罪感來抑制這種欲望。

「你只考慮你自己，你難道不知道還有兄弟姊妹嗎？」這是我媽媽常愛說的一句話。「你還想要我給你買什麼？」我爸爸則愛說，「難道你認為我們是搖錢樹嗎？你認為錢是從樹上掉下來的嗎？你知道我們不是富人。」

還有許多這樣的話，這些話影響了我和其他和我一樣的孩子們。

還有另外一種父母，他們採取的方式是另一種極端，他們常會這樣說：「我犧牲自己的生活去買來這個給你，我給你買這個是因為在我小時候從未得到過這些東西。」我有一個鄰居身無分文，但他的車庫裡卻滿是他孩子的玩具，以致於不能將車停進車庫裡。受溺愛的孩子們得到了他們要求的任何東西，「我不想讓他們嘗到貧困的滋味」是他每天都要說的話。他沒有為孩子上大學或自己退休留下任何東西，但他的孩子卻擁有市場上出售的每一種玩具。他最近剛得到一張信用卡，就帶上孩子去拉斯維加斯玩了。「我這麼做全是為了孩子。」臨走時他帶著深深的自我犧牲的神情對我說。

在我看來，以上這兩種父母常用的教育方式都不能培養孩子正確的金錢觀念和投資意識。

富爸爸從不使用「我不能支付這個」這類的話。

在我自己的家裡，這可是我常聽到的。但富爸爸要求他的孩子們說：「我怎樣才能夠支付這個？」。他的理由是：「我不能支付這個」這句話禁錮了你的思想，使你不再去作進一步的思考。「我怎樣才能支付這個？」則開為了你的頭腦，迫使你去思索並尋求答案。

但是最重要的是，他覺得「我不能支付這個」是一句謊言，他堅信人的精神能夠做到一切。「人類的精神力量非常非常強大」，他常說，「你自己知道你能做成任何事情」。然而人的頭腦中卻總是有兩個聲音，積極的精神鼓勵你去獲得你想要的，而那個懶惰的思想卻說：「我不能支付這個」，兩種思想在你的腦子裡交鋒，你的精神憤怒了，而你的懶惰思想就會為自己的謊言辯護。你的精神大叫道：「來吧，讓我們到健身房鍛練」，而懶惰思想會說，「可是我太累了，我今天確實工作很辛苦。」你的精神會說，「我厭倦了貧窮的生活，讓我們脫離這勞碌的生活而致富」，對此懶惰思想會說：「富人們很貪婪，此外還很討厭；這不安全，我可能會有損失；我要盡可能地努力工作，我有許多工作要做；看看我今晚必須做的事情，我的老闆希望我明天早上之前做完這些。」

「我不能支付這個」帶來的悲哀和無助會導致失望、冷漠以至意志消沉。「我怎樣才能支付這個」則打開了充滿可能性的快樂和夢想之門。因此，富爸爸並不太關心我實際上想要買的是什麼，他只是想透過促使我們不斷思索「我怎樣才能支付這個」來創造一種更強有力的思想和更有活力的精神。

所以，他很少給我和邁克買任何東西，相反，他會問：「你怎樣才能買得起這個？」於是包括上大學，都是我們自己掙錢支付的。並不是目標本身，而是達到我們所期望的目標的這一過程，才是他真正希望我們去學習的東西。

我感到今天的問題是成千上萬的人對自己的「貪婪」感到罪過，這是他們在少年時代就因襲到的陳舊思想。他們渴望擁有生活所提供的那些更美好的東西，但面對困難，大部分人卻下意識地調整自己並藉口說：「你不能擁有這個」，或者「你可支付不起這個」。

那麼，你怎樣克服懶惰心理呢？答案是多一點點「貪婪」，要勇於去追求並得到自己所想要的生活。記得有家調頻電台的心理節目裡曾經提出「這裡有什麼是為我準備的」這種說法。在節目中，一個人坐下來需要問：「如果我身體健康、性感、長相英俊，我還要做什麼事？」或者「如果我不再工作，我的生活會是什麼樣？」或者「如果我擁有自己需要的所有的錢，那我將做什麼？」用這樣的方式來激發人們對美好生活的嚮往和追求。沒有一點點「貪婪」，沒有想擁有更好東西的渴望，就不會取得進步。世界之所以進步是因為我們都渴望過上更好的生活，新發明的產生也是因為我們渴望更好的東西，我們努力去學習也是因為我們想要更好的東西。因此，每當你發現自己在逃避你心裡清楚應該去做的事情時，那麼唯一要自問的是：「這裡有什麼是我應該得到的？」稍稍「貪婪」一點，這是治癒懶惰的最好辦法。

當然，就像任何事情都要有「度」一樣，過於貪婪就不好了。但我們必須要改掉長期以來形成的一味壓抑個人需要的社會意識，因為個人需要正是形成社會需求從而拉動經濟，促進社會發展進步的根源。要記住邁克・道格拉斯在電影「華爾街」Wall Street 中所說的：「欲望是好事」Greed is good。富爸爸以另一種方式說：「負罪感比欲望要糟，因為負罪感從身體裡搶走了靈魂。」而對我來說，埃連娜・羅斯福說的好：「做你心裡認為正確的事——因為你不管怎麼做總會受到批評。如果你做的話，會受到指責；而你不做的話，還是會受到指責。」

原因之四：習慣。我們的生活更多地反映我們的習慣而不是我們所受到的教育。上學時在看過明星阿諾．史瓦辛格主演的電影「王者之劍」Conan 以後，一位朋友說「我多想擁有像史瓦辛格那樣的身材」，大部分男生都點頭表示同意。

「但我聽說他實際上曾經很瘦弱。」另一位朋友補充說。

「是的，我也聽說過，」另一位說道。「我聽說他幾乎每天都泡在健身房裡。」

「沒錯，我敢打賭他不得不這樣。」

「不是的，」那個崇拜者說，「我肯定他天生如此。算了吧，我們不可能練成他那樣的體格，咱們別再談論史瓦辛格了，來喝點啤酒吧。」

這是習慣控制行為的一個例子。我記得問到富爸爸有關富人的習慣問題，他沒有直接回答我，他像往常一樣希望我從實例中學習。

「你爸爸什麼時候支付賬單？」富爸爸問道。

「每個月的月初。」我說。

「那支付完賬單後他還有節餘的錢嗎？」他問。

「非常少。」我回答。

「這就是他苦苦掙扎的主要原因，」富爸爸說，「他有一些壞習慣。你爸爸總是首先支付給其他人，最後才支付給自己，而且這還得看他有無剩餘。」

「他也不希望這樣，」我說，「但他不得不按時支付賬單，不是嗎？你是說他不應該支付賬單嗎？」

「當然不是，」富爸爸說，「我堅持應該按時支付賬單，不同的只是我會安排好，並且首先支付給我自己。」

「但是如果你沒有足夠的錢，」我問，「你會怎麼辦呢？」

「同樣的辦法，」富爸爸說，「我仍然首先支付自己，即使我缺錢。因為對我個人來說，我的資產專案比政府重要得多。」

「可是，」我說，「他們不會來找你的麻煩嗎？」

「會的，如果你不支付的話，」富爸爸說，「但是你看，我並沒有說不支付。我只是說首先支付給我自己，即便是我缺錢。」

「但是，」我又問，「你是怎樣去做的呢？」

「不是怎樣，而是『為什麼』。」富爸爸說。

「那好，為什麼？」

「動力，孩子，這完全是一個動力問題，」富爸爸說，「如果我不支付給我自己或者不支付給我的貸款人，你認為誰抱怨的聲音會更大些？」

「當然是你的貸款人會比你叫的更響。」一個顯而易見的回答，「如果你不支付給自己的話，我想你什麼也不會說。」

「所以你看，在我把僅有的錢先支付給自己後，要支付稅款和其他貸款人的壓力就會變得非常大，迫使我去尋求其他形式的收入，支付的壓力成為我的動力。我會做額外的工作，開其他公司，在股票市場上買賣多幾支股票以及去做任何可以使那些人不再向我叫喊的事。壓力迫使我努力工作，迫使我去思考，最重要的是迫使我在錢的問題上更精明、更積極主動。然而如果我像你爸爸一樣最後支付給自己，我就不會感到任何壓力，但我一定會因此而破產。」

「你是說因為你欠了政府機構或其他人的債，所以你對他們的擔心激勵了你？」

「對，」富爸爸說，「你看，政府的徵稅者和其他的收賬者一樣需要面對，大部分人會向這種威勢屈服，於是他們先支付這些賬單卻克服自己的需要。你聽說過瘦弱的人被人欺負的故事吧？」

我點了點頭。

「好的，大部分人讓那些收賬的人把沙子踢到他們臉上，而我決定利用對這種人的恐懼來使我變得更加強壯，這樣做會使其他人變得更加虛弱。我迫使自己考慮如何掙到額外的錢就好比去健身房做負重練習，我思想上的『金錢肌肉』越發達，我就越強大。現在，我不再害怕這些人了。」

我喜歡富爸爸說的話。「所以，如果我也學會先支付我自己，我就會在財務上更強壯，噢，應該是在精神上和財務上都更加強壯。」

富爸爸點了點頭。

「而如果我像我爸爸那樣最後才支付給自己，或根本就不支付，我就會變得更加虛弱，那麼我一生都會圍著老闆、經理、稅務官員、收賬員及地主們轉，僅僅因為我沒有良好的財務習慣。」

富爸爸點頭稱是，「就像體質虛弱的人一樣。」

原因之五：傲慢。傲慢是無知的另一面。

「我的知識為我帶來金錢，我所不知道的東西使我失去金錢。每次當我自高自大時，我真的相信我所不知道的東西並不重要。」富爸爸經常這樣告訴我。

我發現許多人試圖用傲慢來掩飾自己的無知，甚至當我和會計甚至其他投資者討論財務報告時，這種事情也經常發生。

他們試圖用自吹自擂來贏得爭論，而我很清楚，這是因為他們不懂自己在談論什麼。他們並沒有撒謊，只是沒有談出真相。

在資金、金融和投資領域，有許多人完全不知道自己在談論什麼。財經行業的大部分人喜歡滔滔不絕地誇誇其談，其實他們並沒有什麼真才實學。

如果你知道自己在某一問題上欠缺知識，不要試圖掩飾，因為那是在欺騙你自己，你應該做的是去找一位這一領域的專家或者找一本有關這一問題的書，馬上開始教育自己。

開始行動

Chapter nine

Getting Started

開始行動

第九章　開始行動

我希望我可以說，獲得財富對我來說很容易，但是事實並非如此。

所以，當我被問到「應該怎樣開始」這一類的問題時，我就提供自己日常的思維方式。我敢保證找到生意機會的確很容易，這就像騎自行車，剛開始還搖搖晃晃，但很快就會駕馭自如了。在關於金錢的問題上也是一樣，最初的難關得由你自己去度過。

但是要找到一樁數百萬美元的「關係一生的機會」，就需要喚醒我們自己的財務天賦了。我相信，我們每個人都擁有內在的理財天賦，問題是，這種理財天賦一直處於休眠狀態。這種天賦處於休眠狀態的原因，是因為我們的文化把對金錢的需要視為萬惡之源，並把這種觀念灌輸給了我們，這種觀念促使我們學習某種技能，並為金錢而工作，卻沒能教給我們如何讓金錢來為我們而工作。我們被告知不必去擔憂將來的財務狀況，因為一旦我們退休了，公司或者政府會照顧我們。然而，現在在同樣的學校體制下受教育的我們的孩子們，他們將來卻有可能不再向公司和政府支付提供這種照顧所需要的錢。但現有的資訊仍告訴我們努力工作，掙錢維生，當缺錢時，我們總能借到錢。

更不幸的是，90%的西方人認同這種教條，就是因為他們相信找一份工作並為錢工作要更容易一些。如果你不願屬於那90%，我向你建議採取十個步驟來喚醒你的理財天賦。如果你不想遵循，那就按你自己的方式來做，你的理財天賦足以讓你無師自通。

在秘魯，我問一位工作了四十五年的金礦工人，為什麼他對找到一座新的金礦充滿信心。他回答說：「金礦到處都是，但大部分人沒有經過相應的培訓來發現金礦。」

我認為這話是正確的。如房地產，我出去跑一天就能發現四、五樁潛在的大生意，而一般人出去即使只是在同一鄰近地區，也往往會空手而歸。那是為什麼呢？那是因為他們沒有花時間來開發自己的理財天賦。

我建議你採取以下十個步驟來開發上帝賜予你的才能，這種才能只有你才能控制：

一、**我需要一個超現實的理由**：精神的力量。如果你問別人是否願意致富或者獲得財務上的自由，大部人會說「願意」。可是一想到現實，前進的道路似乎就變得很漫長而崎嶇，相比之下，為了錢工作並把剩餘的錢託付給經紀人看管似乎要更容易一些。

我曾經遇到一位夢想參加美國奧林匹克游泳隊的女運動員。為此，她不得不每天早上四點起床，游泳三個小時，然後去上學。她在周末也不和朋友們開晚會，而且她還必須拿出時間去複習功課以保持學習進度。

當我問是什麼力量驅使她以超人的雄心和犧牲精神這麼做時，她只是說：「我這樣做是為了自己以及我所愛的人們，是愛的力量使我以犧牲精神去克服重重困難。」

這一原因或目的是「想要」和「不想要」的結合體。當人們問我想要致富的原因是什麼，我就說這是感情上「想要」和「不想要」的結合。

我可以列舉一些首先是「不想要」而由此產生了「想要」的例子。我不想一生都工作；我不想要父輩們渴望的那些東西，如工作穩定、擁有一套郊區房子；我不想做一個打工仔；我討厭父親因為忙於工作而總是錯過我的足球比賽；我討厭父親終身努力工作在他去世時卻還有未付的賬單。而富人不會那樣做，他們會努力工作，然後將工作成果交給後人。

其次是「想要」。我想自由自在地周遊世界；我想以自己喜歡的方式生活；我想在自己年輕的時候就能做到這些；我想自由自在地支配自己的時間和生活；我想要金錢為我而工作。

這些就是我發自內心深處的精神動力。你是什麼樣的人呢？如果你不夠堅強，那麼前行道路上的嚴酷現實就會迫使你退縮。我曾失敗過多次，但每次都是這種深層的精神動力使我爬起來繼續前進。我想在四十歲時就能達到財務上的自由，但是一直到四十七歲，在我經歷了許多學習和磨練後才真正實現了目標。

當我談及這一點時，我希望能談得輕鬆些，但這真的不輕鬆，可是並非很難做到。我的建議是，給自己一個強有力的理由或目標。若非如此，你在生活中會感到步履維艱。

二、每天作出自己的選擇：選擇的力量，這是人們希望生活在一個自由國度的主要原因。我們需要有作出選擇的權力。

從財務上來說，我們每掙到一美元，就得到了一次選擇自己的將來是富裕、貧窮還是一般的機會。我們用錢的習慣反映了我們是什麼類型的人，有的人之所以貧窮是因為他們有著不良的用錢習慣。

作為一個孩子的好處就是我可以一直玩「大富翁」遊戲。但是因為沒有誰跟我說過「大富翁」只有孩子才能玩，所以成年後我仍然愛玩這個遊戲。富爸爸曾經透過遊戲為我指出資產和負債之間的差別，所以當我還是一個小孩子時，我就選擇要成為遊戲中那樣的富人，而且我知道自己所要做的就是學會像遊戲中那樣不斷地進行投資，去獲取更多資產——真正的資產。我最好的朋友邁克接管了他父親的資產，但他仍要學會管理資產。許多富裕家庭之所以「富不過三代」，就是因為他們沒有培養出一位內行的人來管理他們的資產。

大部分人不會選擇成為富人，對於90%的人來說，做一個富人會有「太多煩擾」，所以他們就說，「我對金錢不感興趣」，或者「我不想成為富人」，抑或「我不用擔心，我還年輕」、「等我開始掙錢時，再考慮將來」，或者「我的另一半掌握財權」等等。這些說法存在著一個共同的問題就是阻礙人們選擇去思考這樣兩件事情：第一是時間，這是你最珍貴的資產；第二則是學習，因為你沒有錢，你就更要去學習。事實上我們每天都應該進行一個選擇：即選擇如何利用自己的時間、自己的金錢以及我們頭腦裡所學到的東西去實現我們的目標，這就是選擇的力量。我們都有機會，我選擇要做一個富人，我每天都在為我的選擇而努力。

首先投資於教育。實際上，當你還是一個窮人時，你所擁有的唯一真正的資產就是你的頭腦，這是我們所控制的最強有力的工具。就像我說的選擇的力量那樣，當我們逐漸長大時，每個人都要選擇對自己的大腦裡注入些什麼樣的知識。你可以整天看電視，也可以閱讀高爾夫球雜誌、上陶藝輔導班或者上財務計劃培訓班，你可以進行選擇。在投資方面，大部分人選擇的是直接投資於某種專案，而不是首先投資於學習自己所要投資專案的有關知識。

我有一位朋友是個很富有的女士，最近她的公寓遭竊了，小偷拿走了她的電視機、錄影機，卻留下了她閱讀的所有書籍。我們大概也會作出類似的選擇，90％的人會購買電視機，只有大約10％的人才會購買商業及投資方面的書籍或錄音帶。

那麼，我是怎麼做的呢？我去參加研討會。我喜歡那種至少兩天的研討會，因為這樣我就能夠靜下心來研究某一專題。一九七三年，我在電視上看到有人做廣告，舉辦一個三天的研討班，討論如何在不支付任何頭期付款的情況下購買房地產。參加這個班只花了我三百八十五美元，卻幫助我掙回至少兩百萬美元。更重要的是，它為我創造了新的生活，正是由於這一課程，我在以後的歲月裡不必再為了生計而辛苦工作。我每年至少要參加兩次這樣的培訓。

我喜歡聽錄音帶，原因是錄音帶可以快速重放。我曾經聽過彼得．林奇的一捲錄音帶，裡面有一段話我完全不同意。但是，我並沒有因此而妄自尊大，而是按「重放」鍵把這一段五分鐘的話聽了至少二十遍，也許更多遍。忽然之間，我打開了自己的思路，懂得了他說的那些話的道理。這簡直就像魔術一樣，我感到如同打開了一扇通向我們這個時代最偉大的投資家之一的思想之窗。由此我得以深入認識和理解他那博大精深的學識和經驗，從中獲得了巨大的教益。

最直接的結果是：我仍然保留住了自己過去思考問題的習慣方式，同時又學到了彼得．林奇分析同一問題或形勢的思考方式。我擁有了兩條思路，而不僅僅是一條，能夠有不止一條的思路來分析某個問題或趨勢，這實在難能可貴。今天我常常會問自己，「這件事彼得．林奇會怎樣做？或者唐納德．特拉姆、沃倫．巴菲特、喬治．索羅斯會怎麼做？」我得以進入他們深邃思想的唯一途徑就是非常謙虛地閱讀或傾聽他們所說過的那些話。傲慢自大或吹毛求疵的人往往是缺乏自信而不敢冒風險的人。如果你想學習某些新東西，那麼你就需要犯些錯誤，只有這樣才能充分理解你所學習的知識。

如果你能讀到這裡，你就會不存在傲慢自大的問題，因為傲慢的人很少讀書或買錄音帶。為什麼？因為他們自以為是宇宙的中心。

當某種新思想否定舊有的思維方式時，有許多「聰明」人會本能地為自己辯護。在這種情況下，他們所謂的「聰明」和「傲慢」合在一起就等同於「無知」。我們中有許多人受過高等教育，相信他們也很聰明，但是他們的資產負債表卻是一場糊塗。一個真正聰明的人歡迎新思想，因為新思想能夠增加已日積月累的思想庫中的內容。聽比說更重要，否則，上帝就不會給我們安排兩隻耳朵，卻只安排一張嘴巴了。有太多的人愛說而不愛聽，這樣就等於放棄了吸收更多新思想和可能性的機會，他們愛爭論問題而不是提出問題並傾聽別人的見解。

我願意以長遠的眼光來看待我的財富，我並不相信那些買彩票的人或賭博者「快速致富」的觀念。我可能會做短期股票買賣，但從長遠考慮我更重視教育。如果你想駕駛飛機，我建議你首先去聽有關飛行原理的課程而不是直接坐進駕駛艙。有的人投資於股票或房地產，卻從不投資於他們最重要的資產——頭腦，對此我常常感到震驚。因為，你買一兩套房地產並不能讓你成為房地產方面的專家。

三、**慎重地選擇朋友**：關係的力量。首先，我不會把財務狀況作為挑選朋友的標準。我既有窮困潦倒的朋友，也有家財萬貫的朋友，因為我相信「三人行，必有我師」，而我也願意努力地去向他們每個人學習。

但我要承認我確實會特意交一些有錢的朋友，我的目標不是他們擁有的錢財，而是他們致富的知識。在很多情況下，這些有錢人會成為我的親密朋友，當然，也不盡然。

我想，窮朋友和富朋友都同樣是我的老師。我會注意我的有錢朋友是如何談論金錢的（我不是指財富），他們對這個話題感興趣。這樣，透過交談我向他們學習，他們也向我學習。我的另一些朋友經濟上很困難，他們不愛談論金錢、商務或投資，他們常常認為這很粗魯或不明智。但我也能從他們那裡學到許多別的知識，我可以從中懂得什麼東西不可以去做。

我有幾個朋友，他們在不長的時間裡創造了數十億美元的財富。他們中間有三位和我談到過同樣的現象：他們那些沒錢的朋友從不去向他們請教是怎樣賺到錢的。可是他們往往會去要求一種或兩種東西：一是貸款，二是工作。

注意：不要聽膽小的人說的話。我有這樣的朋友，我非常喜歡他們，但他們過的是「小雞」式的生活。一旦涉及到金錢，特別是投資時，「天就要塌下來了」，他們總是會告訴你一件事為什麼不行。問題是如果人們聽了他們的話，盲目地接受這種杞人憂天的資訊，你最後也會成為「小雞」式的人物。就像一句古老的諺語所說的：「小雞的毛都是一樣的」。

哥倫比亞全國廣播公司的節目有很多有關投資方面資訊的欄目。如果你看過他們的節目，通常會見到一幫所謂的「專家」在爭吵。一位專家會說市場正在走向衰退，而另一位則聲稱市場正在趨於繁榮。如果你很精明，兩方的話你都要聽，保持一種開放的心態，因為兩種說法都有合理的地方。不幸的是，大部分窮人只都聽從「小雞」式的觀點。

我有許多親密朋友試圖勸說我不要去做某一項交易或投資。幾年前，一位朋友告訴我，他非常高興，因為他發現了一份利率為6％的大額存單。我告訴他我從州政府獲得的投資回報是16％。第二天，他送給我一篇文章說明我的投資是危險的。而現在這麼多年過去了，我一直獲取每年16％的投資回報，而他卻依然只能得到6％。

我想說，在積累財富的過程中，最困難的事情莫過於堅持自己的選擇而不盲目從容。因為在競爭激烈的市場上，群體有時會意味著反映遲鈍而被「宰割」。如果一項大交易被列在投資雜誌的頭一頁，在多數情況下此刻去做這種交易恐怕為時已晚，這時，你應該去尋找新的機會了。就像我們通常所說的那樣：「還會有另一波」。人們總是匆匆忙忙去趕已經過去的那一波時，往往又會被新的一波淘汰出局。

精明的投資者不會抱怨市場時機不對，如果錯過了這一波，他們就會去尋找下一個機會，並且在其中找到自己的位置。對大多數投資者來說，做到這一點之所以非常困難，是因為一旦他們買入的東西不那麼流行，他們就會感到害怕。膽小的投資者總是亦步亦趨地跟在別人後面，當欲望終於驅使他們冒險投資時，精明的投資者此刻已經獲利退出了。明智的投資者往往購買一項不太流行的投資，他們懂得盈利是在購買時就已獲得，而不是在出售時獲得的，他們會耐心地等待時機實現投資增值。正如我所說，他們並不計較市場時機，就像一位衝浪者，他們時刻等待著下一個大浪來將他們高高托起。

到處都有「內部人交易」。有些形式的內部人交易是非法的，而有些形式的內部人交易是合法的。但不管怎樣，它們都屬於內部人交易。唯一的區別在於你離內幕到底有多近。你可以有接近內幕的富裕朋友，因為錢就是由「內幕資訊」掙來的，這樣你就能在繁榮之前買進，並在危機之前賣出。我不是說非法地去做，但是，資訊得到得越早，獲利的機會就越大，風險就會越小，這就是朋友的作用。這也是一種財商。

四、掌握一種模式，然後再學習一種新的模式：快速學習的力量。麵包師做麵包要遵循某種配方，即使這種配方只是記在腦子裡。掙錢也是一樣的道理，這也是金錢有時被稱作「麵包圈」的原因。

我們大都聽說過這樣一句諺語：「你吃的是你自己。」我有一句意義相近但說法不同的話：「你學習什麼，就會成為什麼樣的人」。也就是說，你得注意你所要學習的內容，因為你的精神力量非常強大，你學到了什麼，就會成為什麼樣的人。例如，你學習烹飪，你就會去做烹飪，然後就成為一名廚師。如果你不想再做廚師，那你就要學習其他東西，比如說學些師範課程成為一名學校教師。所以，一定要仔細挑選自己學習的內容。

在錢的問題上，大多數人一般只知道一個基本的掙錢公式，這個公式是他們從學校學來的，就是為了金錢而工作。在我看來，這個公式是在全世界占支配地位的一個公式：千百萬人每天起床，上班，掙錢，支付賬單，平衡支票簿，購買共同基金，然後再回去工作。這是一個普遍的、基本的公式或配方。

如果你對自己所做工作感到厭倦且掙錢又不夠多，那麼很簡單，這正是你改變自己掙錢公式的時候了。多年前，當我二十六歲時，我參加了一個周末班，內容是「如何購買破產房地產」。在那裡我學到了一個公式並開始試著將我所學到的規則付諸實施，而這一步正是許多人沒能做到的事情。在為施樂公司工作的三年中，我用業餘時間學習並掌握了購買破產財產的技巧，運用這個公式，我賺取了數百萬美元。但是過了一段時間，這個公式變得不那麼好用了，因為開始有其他許多人也在這樣做了。

因此，我又開始尋找其他的公式。對於許多我參加過的短期培訓班來說，或許我並沒有直接使用過所學到的資訊，但我還是從中學習到許多新的東西。

我曾經參加過專門為金融衍生工具交易商舉辦的輔導班，也參加過為商品期權交易商舉辦的輔導班和為初學者舉辦的學習班。我還遠離自己的職業領域，與許多核子物理學和空間科學方面的學者一起討論問題。儘管我不會去搞核電站或太空梭，但我從中瞭解到的新知識和新機會卻使我的股票和房地產投資更加豐富和有利可圖。

大部分專科大學和社區大學都設有財務計劃和傳統投資方面的輔導班，這是非常好的起步時的去處。

我總是在尋找賺錢更迅速的公式，這就是為什麼在條件差不多的情況下，我每天所掙的錢總是比許多人在一生當中所掙的錢還要多。

補充說一句，在今天這個快速變化的世界中，並不要求你去學太多的東西，因為當你學到時往往已經過時了，問題在於你學得有多快，也就是我前面所說的要具備快速學習的能力，這種技能是無價之寶。如果你想賺到錢，尋找一條捷徑是非常關鍵的。為金錢而工作是人類在穴居時代產生的一個公式，它早已過時了。

五、首先支付自己：自律的力量。如果說你不能控制自己，就別想著能致富。你可能首先想通過加入海軍特種部隊或宗教團體來約束自己，但我相信這樣做對於投資、掙錢和花錢來說毫無意義。正是因為缺乏自律，大部分彩票中獎者在贏得數百萬美元後很快就破產了。也正是由於缺乏自律，人們得到加薪後立即出去購買新車或去乘船旅遊，其結果是生活比加薪前顯得更加窘困。

很難說這十個步驟中哪一個最重要，但對於所有這些步驟來說，第五個步驟是最難以掌握的，如果它不是你習慣於去做的事情的話。我要冒昧說一句：「是否缺乏自律」是將富人、窮人和中產階級區分開來的首要因素。

簡單地說，那些不太自信、對財務壓力忍耐性差的人永遠不會成為富人。正如我說過的那樣，我從富爸爸那裡學到了一條經驗：「生活推著你轉」。生活之所以推著你轉，不是因為驅使你的人很厲害，而是因為你個人缺乏自我控制和紀律性。那些缺乏內在堅毅的人往往會成為那些自律性很強的人的犧牲品。

在我教過的企業家培訓班中，我經常提醒人們，不要僅將自己的注意力集中於自己的產品、服務或生產設備，而是要集中於開發管理才能。開創你自己的事業所必備的最重要的三種管理技能是：

一、現金流量管理；

二、人事管理；

三、個人時間管理。

我想說，這三項管理技能不僅適用於企業，而且適用於任何事情。比如，你對自己日常生活的管理或對家庭、企業、慈善組織、城市及國家等的管理。

自律精神可以增強上述的任何一項技能。我非常重視「首先支付自己」這句話。

「首先支付自己」pay yourself first 這句話出自喬治．克拉森寫的《巴比倫最富有的人》*The Richest Man in Babylon* 一書。這本書賣出了數百萬冊，數百萬的人熟練地重複這句話，卻鮮有人遵循這一建議。我說過，財務知識使人能夠讀懂數字以及看懂數字背後所發生的事情。透過一個人的損益表和資產負債表，我可以很容易地看出一個人是否將嘴邊唸叨著的「首先支付自己」這句話付諸了實施。

百聞不如一見。讓我們再來比較一下遵循「首先支付自己」與遵循「先支付別人」這兩種人的財務報表的區別。

首先支付自己的人

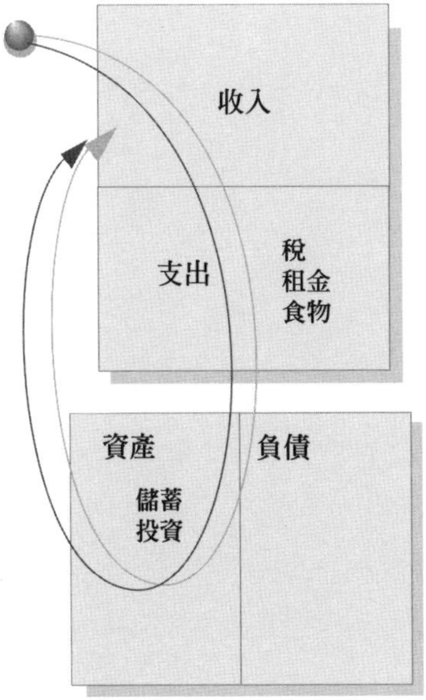

研究一下這兩張圖表，看看你能不能找出一些區別。當然，你首先必須懂得現金流量的含義，它說明的是經濟事項的內容。大部分人看著數字本身，卻忽略了數字所反映的經濟內容。如果你確實能夠開始懂得現金流量的力量，你就能很快發現第二幅圖存在的問題了，你也能明白何以90％以上的人一輩子辛勤工作，到了晚年無法繼續工作時，卻不得不依賴政府提供的支援，如社會保障等。

而第一張圖卻反映了一個選擇「首先支付自己」的人的典型行為方式，在支付每月支出之前，他們總是先將錢安排在自己的資產專案上。雖然數以百萬計的人們讀過克拉森的書，也理解他所說的「首先支付自己」這句話的含義，而在現實生活中他們還是最後才支付給自己。

此刻，我能聽到那些並不相信應該「首先支付自己」的人在嘲笑我，我也可以聽到所有按時支付賬單的「負責任的」人的笑聲。其實，我不是說要人們不負責任、不付賬單，我所說的只是要像那本書中所說的那樣：「首先支付自己」。前一頁上的那幅圖就是這種正確做法在會計上的反映，下面這一幅則不同。

首先支付別人的人常常一無所得

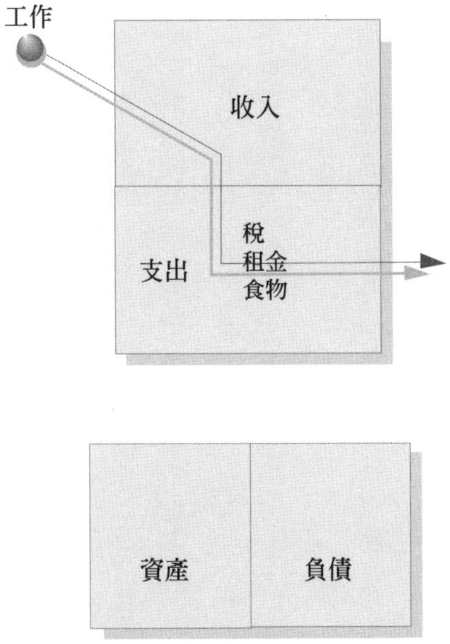

我和我妻子的許多簿記員、會計師和銀行家對我們看待「首先支付自己」這句話的態度抱有很大的疑問。究其原因，實在是因為這些財務專家在實際生活中也同大多數人一樣，最

後才支付給自己，他們首先支付給其他所有的人。

在過去的生活當中曾有過數月，出於種種原因，我的現金流量遠低於應付賬單的數額，但我仍然首先支付給自己，首先去滿足我個人資產項下的需求。我的會計師和簿記員感到非常吃驚，「他們會找你討債的，國內收入署會把你送進監獄的」、「你這樣做是在毀掉自己的信用級別」、「他們會切斷電源」，我不為所動，繼續首先支付自己。

「為什麼呢？」你會問，因為《巴比倫最富有的人》一書中所講的一切，因為自律的力量和內在堅毅的力量，用通俗一點的話說，那就是「膽量」。在我為富爸爸工作的第一個月裡，他教我認識到大部分人是如何接受外界驅使的。一位討債人打電話來請你「支付」，所以你就支付給他而不支付給自己。你的房地產代理人告訴你「接著做——政府會給你的房子以稅收減免」，於是你就相信了他。這本書真正的目的是要告訴你：有膽量不隨波逐流才能致富。你可能並不是一個軟弱的人，但是一旦涉及到金錢，許多人往往會怯懦起來。

我不是在提倡不負責任的做法，我沒有高額信用卡債務以及消費債務的原因，是我想首先支付自己。我減少自己收入的原因是我不想讓政府從中拿走太多，就像你們中的一些人看過的錄影片「富人的秘密」The Secrets of the Rich 中反映的那樣，但我或許會透過一家內華達的企業從我的資產專案中來獲取收入。因為如果我為金錢而工作，政府就會拿走相當一部分。

我最後才支付賬單，但我卻能靠足夠的財商來度過財務難關。我不喜歡負債消費，而我確實擁有比絕大多數人都要高的負債，只是我從不支付它們：自有其他人來為我支付，他們被稱為房客。因此第一條法則「首先支付自己」不會使你一下子陷入債務。我的確是最後才支付賬單，支付一些少量的、無足輕重的賬單。

其次，當我偶爾資金短缺時，我仍然首先支付自己。我寧願讓債權人和政府高聲喊叫，他們越著急我越高興。為什麼？因為這些人在為我搖旗吶喊，他們在激勵我出去掙更多的錢。因此我首先支付自己，進行投資，然後讓債權人大喊大叫，但我都會清償債務，我和我妻子都有著良好的信用，我們不會陷入債務危機，或靠動用儲蓄、賣出股票來償付消費債務，因為這樣做在財務上就太不明智了。

所以，答案就是：

一、不要背上數額過大的債務包袱。要使自己的支出保持低水平。首先增加自己的資產，然後，再用自己的資產中產生的現金流購買大房子或好車子。陷在「老鼠賽跑」中不是明智的選擇。

二、當你資金短缺時，去承受外在壓力而不要動用你的儲蓄或投資，利用這種壓力來激發你的財務天賦，想出新辦法掙到更多的錢，然後再支付賬單。這樣做，不但能提高你賺錢的能力，還能提高你的財商。

許多次我曾陷入財務困境中，但通過動腦筋想辦法反而創造出更多的收入，我堅定地維護了我資產的安全和完整。我的簿記員會不知所措，急忙還債，但我就像一位堅強的戰士一樣堅守著城堡——我的資產堡壘。

窮人有不好的習慣，一個普遍的壞習慣是隨便「動用儲蓄」。富人知道儲蓄只能用於創造更多的錢，而不是用來支付賬單。

我知道這樣說聽起來很刺耳，但是正如我說過的那樣，如果你意志不夠堅定，那麼無論如何，你只能讓世界推著你轉。

你如果不喜歡財務壓力，那就找一個適合你的公式，例如減少支出，把錢存在銀行，支付超過正常水平的所得稅，購買安全的共同基金，按照一般人的做法行事。可是這樣就違背了「首先支付自己」的原則。

這一原則不鼓勵自我犧牲或財務緊縮，它並不意味著首先支付自己然後挨餓。生活應當是快樂的，如果你喚醒自己的財務天賦，你就有機會擁有很多人生中美好的東西：致富並不以犧牲舒適生活？代價地支付賬單。這就是財商。

六、給你的經紀人以優厚報酬：好建議的力量。我經常看到人們在自己的房子前面插上一塊牌子，上書：「房主直接出售，仲介免談」，或者像今天我從電視中聽到的話：「對經紀人的話要打折扣」。

我的富爸爸教我採取與這些人相反的做法。他堅持給予專業人士以優厚報酬，而我也採納了這一政策。今天，我雇有身價昂貴的律師、會計師、房地產經紀人以及股票經紀人。為什麼要這樣做呢？因為我認為，如果他們是專業人才的話，他們的服務就會為你創造財富，而且他們創造的財富越多，我掙到的錢也越多。

我們生活在資訊時代，資訊是無價的。一位好的經紀人應該給你提供資訊，同時還應花時間來教育你。我有幾位經紀人願意為我這樣做，有些人在我沒錢或錢很少的時候仍在教我，所以我今天也一直任用他們。

我付給經紀人的錢和我根據他們提供資訊而賺得的錢相比，只是一小部分。我樂意見到我的房地產經紀人或股票經紀人賺到很多的錢，因為這通常意味著我也賺到了很多的錢。

一位好的經紀人不僅會為我賺來了錢，而且還會為我節省了時間。這樣，當我以九千美元購得一塊閒置地皮然後立即轉手以二萬五千美元賣出的同時，我還能很快去買一輛保時捷。

經紀人是你在市場上的「眼睛」和「耳朵」，他們代替我整天密切注視著市場，而我可以去打高爾夫球。

此外，直接出售自己房子的人也很難足額估計自己房地產的價值，既然如此，為什麼不花一點小錢，用它來換回時間去掙更多的錢呢？我感到奇怪的是，許許多多的窮人和中產階級寧願為餐館糟糕的服務支付15％到20％的小費，卻抱怨支付給經紀人3％到7％的傭金。他們在費用支出專案上慷慨地支付小費，卻在資產專案上對人極為吝嗇，這樣做在財務上顯然是不明智的。

但也必須指出的是：每個經紀人的能力是不一樣的，不幸的是，大部分經紀人僅僅是推銷員而已，尤其是某些房地產經紀人。他們賣房子，但他們自己卻只擁有極少房地產甚至根本就沒有房地產。要知道一個出售房子的經紀人與一個出售投資專案的經紀人之間有天壤之別，對那些自稱為財務計劃專家的股票經紀人、債券經紀人、共同基金經紀人和保險經紀人來說也是一樣。盲目使用不稱職的經紀人就如同童話故事裡所講得那樣，你要吻許多隻青蛙來尋找一位王子。記住那句古老的格言：「如果你需要一本百科全書，千萬別找百科全書推銷員。」

當我和任何提供有償服務的專家見面時，我首先要弄清楚他們個人到底擁有多少財產或股票以及他們支付稅收的比例是多少，這種做法也適用於我的稅務師以及我的會計師。我有一位會計師，她十分關心自己的產業，她的職業是會計，可是她的產業是房地產。我也曾經雇用過一位小企業會計師，但他沒有房地產，最後我解雇了他，因為我們感興趣的領域不一樣。

要找一位對你的利益很關心的經紀人。許多經紀人會花時間來教育你，那麼他們可能是你找到的最好的資產。你公平地對待他們，他們大多會公平地對待你。如果你總是琢磨著減少付給他們的傭金，那麼他們憑什麼願意盡力為你的利益服務呢？這是很簡單的邏輯。

我曾經說過，人事管理是重要的管理技能之一。許多人只會管理沒有自己聰明的人或者能力沒有自己強的人，比如工作中的下屬。許多中層管理人員一直停留在中級管理層而得不到提升，就是因為他們只知道如何和職位低於自己的人一道工作，卻不善於同比自己職位高的人一道工作。真正的技能是能夠管理在某些技術領域比你更聰明的人並給他們以優厚的報酬。這也是公司擁有一個顧問委員會的原因，你應該有這種顧問，而這也是你的財商。

七、做一個「印第安給予者」：無私的力量。當第一批白人定居者抵達美洲時，他們對印第安人的文化習慣感到驚訝和不適應。例如，當看到一個白人很冷時，印第安人會給那人一條毯子，但白人定居者誤以為這是一份禮物，因此當印第安人要回毯子時，他們感到十分不快。

印第安人也會感到失望，因為他們發現白人定居者無意歸還自己的毛毯。這就是「印第安給予者」一語的由來，代表一種簡單的文化誤解。

在「資產專案」領域，做一個「印第安給予者」對於取得財富來說十分重要。一位老練的投資者的首要問題是：「需要多快才能收回我的投資產」他們想確定自己的投資能得到的回報，這就是投資回報率為什麼重要的原因。

例如，我發現一處已沒收的抵押品就在我家附近幾個街區。銀行要價六萬美元，我出價五萬美元，他們接受了，原因僅僅是出價的條件之一是開出五萬美元的現金支票。他們意識到我是認真的。大部分投資者會說，你這不是凍結了一大筆現金嗎？申請一筆貸款不是更好嗎？答案是：有道理，但不適用於這一案例。我的投資公司使用這處資產在冬季作為度假出租屋。當那些「雪鳥」（指那些冬季到南方度假的北方人）來到亞利桑那州時，這所房子每年可有四個月能以每月二千五百美元的價格租出。在淡季則以每月一千美元的價格出租。用了大約三年時間，我收回了投資。現在我依舊擁有這筆資產，並且它每個月都能給我創造現金流入。

在股票市場上我也這樣做。經常地，我的經紀人會打電話給我，建議我動用一筆數額可觀的資金，用來購買他認為會有上漲行情的公司股票，譬如擁有某種新產品的公司的股票。於是，我會在股票上漲前的一周到一個月期間將資金調入，贏利後，我便抽回投入的初始資金，並不再擔心此後市場的波動，因為我投入的初始資金已經收回，並又投資於其他資產了。我的資金透過投入又收回，使我擁有了一筆從技術上來說是無償取得的資產。

確實，在許多情況下我曾損失過資金，但我總是能負擔得起損失的資金。我想，在平均每十項投資中，我會有二到三項贏利，同時五到六項不賺不賠，二到三項虧本。但是我會將自己可能發生的損失限制在那個時期我所擁有的資金量這一範圍內。

對於那些討厭風險的人來說，他們把錢存在銀行裡。從長遠來看，有儲蓄總比沒有好。但是，這樣做需要花很長時間才能收回資金，而且在大部分情況下，你不會平白得到一些東西。

在我的每一次投資中，必有一些投資是沒有什麼盈利的，譬如一項共同管轄權利，一處小型貨棧，一片土地，一處房子，股票份額，辦公室大樓等，這些專案的風險很低。其原因在一些書籍中專門講到，我就不在這裡再談了。這就像雷·克羅克，以麥當勞而出名，他出讓漢堡特許經營權並不是因為他喜歡漢堡，而是因為他希望出讓特許經營權後房地產能夠升值。

因此明智的投資者必定不光看到投資回報率，而且還要看到一旦收回投資，你因此所擁有的資產就如同白得。這也是財商。

八、資產用來購買奢侈品：集中的力量。一位朋友的孩子養成了亂花錢的壞毛病，剛十六歲他就很自然地想擁有自己的汽車，理由是：他所有的朋友都從父母那裡得到了汽車。兒子想動用他上大學的儲蓄作為頭期付款買輛汽車，於是他父親就從辦公室打來電話給我。

「你認為我應該允許他這樣做嗎？或者我應該像其他父母那樣就給他買一輛汽車？」

對此我回答說：「從短期來看這樣做可能減輕你的精神壓力，但從長遠來看這樣做會教給他什麼呢？你能不能利用他這種希望擁有一輛汽車的欲望來激勵你兒子去學點東西呢？」我朋友心裡豁然開朗，趕忙回家了。

兩個月後，我再次遇到這位朋友。「你兒子擁有了自己的汽車嗎？」我問。

「不，他沒有。但我給了他三千美元，我告訴他可以使用我的錢而不能動用他上大學的錢。」

「啊，你很慷慨呀！」我說。

「也不是，這筆錢只是作為一個繩套。我接受了你的建議，利用他這種想擁有一輛汽車的強烈願望，促使他能夠學到一些東西。」

「那麼，繩套是什麼？」我問。

「首先，我們玩了一次你的『現金流』遊戲，然後我們就如何明智地使用金錢的問題進行了一次長談。之後我給了他一張《華爾街日報》的訂閱單，以及一些關於股票市場的書籍。」

「接下來呢？」我問，「你的方法是什麼呢？」

「我告訴他這三千美元歸他所有了，但他不能直接用它來購買汽車，他可以用這筆錢來買賣股票，也可以尋找他自己的股票經紀人。而一旦他把這三千美元增值到六千美元，就可以用掙到的三千美元去買汽車，而我當初給他的三千美元仍要用在他上大學的支出上。」

「那麼，結果怎麼樣？」我問。

「開始在交易中他很幸運，但幾天之後他就把掙到的錢全賠光了，接下來他真正開始感興趣了。今天，我想他可能已經損失了二千美元，但他的興趣更大了，不僅讀完了我買給他的所有書籍，還到圖書館去閱讀更多的書。他如饑似渴地閱讀《華爾街日報》，關注市場指標，看哥倫比亞全國廣播公司的節目而不是從前愛看的音樂電視。現在他只剩下一千美元了，但他的興趣和學習勁頭沖天。他知道如果自己賠光了那筆錢，他就不得不再多步行兩年，但他似乎並不在意這些了，他甚至看起來對獲得一輛汽車也不那麼感興趣了，因為他發現了一項更有趣的遊戲。」

「要是他賠光了所有的錢怎麼辦？」我問道。

「如果碰到難關，那就得跨過去。我寧可他現在賠掉一切而不願等到他像我們這樣的年齡時再去冒險賠光一切。而且，我想這是我用於教育他的所有錢中效果最好的三千美元，他從中學到的知識將使他受益終身。他還似乎對金錢的獲得和力量產生了新的尊重，我想他不會再大手大腳花錢了。」

在「首先支付你自己」一節中，我說到如果一個人沒有自律的能力，最好別想著去致富。因為從理論上來講，一項資產產生現金流量的過程是容易的，但是擁有控制金錢的堅強意志卻是困難的。由於種種外在的誘惑，在今天的消費者世界裡，在支出專案上揮霍金錢更加容易。因為意志薄弱，金錢的流出簡直會無遮無攔，這就是大多數人貧困和財務困窘的原因。

我在此給出了有關財商的數個例子，在這一例子中控制金錢的能力就是以錢生錢的能力。

假設我們在年初給一百個人每人一萬美元，我想到了年底會出現這樣的情況：

＊有八十人會分文不剩。事實上，許多人可能會透過支付首期付款來購買一輛新車、一台電冰箱、電視機、錄影機或去度假，從而背上很重的債務。

＊有十六人會將這一萬美元增值5％到10％。

＊有四人會將這一萬美元增值到二萬美元至數百萬美元。

我們上學去學習某種技能專長，這樣我們可以為金錢而工作，但我的觀點是：學會讓金錢為你工作更加重要。

和其他人一樣，我也喜歡奢侈品，差別在於有些人貸款購買奢侈品並掉入一個相互攀比的陷阱，而當我想買一輛保時捷車時，最簡單的方法可能也是讓我的銀行家提供一筆貸款，但實際上我不會這麼做，我選擇的是集中資源於資產項而不是負債專案。

作為一種習慣，我用自己希望消費的欲望來激發並利用我的財務天賦去進行投資。

今天，我們常常是借錢來獲得我們想要的某種東西，而不是把注意力集中在於自己創造金錢上。這樣做在短期來看很容易，但長期來看卻會產生問題。不論是個人還是國家，這都是一種壞習慣。記住，最容易的道路往往會越走越艱難，而艱難的道路往往會越走越輕鬆。

你能越早訓練自己和自己所愛的人成為金錢的主人，結果就會越好。金錢是一種強有力的力量，不幸的是，大多數人們用金錢的力量來對付自己。如果你的財商很低，金錢就會比你更精明，它會從你身上溜走。如果你沒有金錢精明，你就將為之工作一生。

要成為金錢的主人，你需要比金錢更精明，然後，金錢才能按你的要求辦事，服從你，這樣你就成了金錢的主人，而不是它的奴隸。這就是財商。

九、對英雄的崇拜：神話的力量。少年時代，我非常崇拜威利・梅斯、漢克・阿龍、約吉・貝拉，他們是我心目中的英雄。作為青少年棒球聯賽的參加者，我希望自己能像他們那樣。我珍藏著他們的球星卡，我想知道與他們有關的一切。我知道他們的平均擊球得分，他們掙多少錢，以及他們是怎樣在少年棒球聯賽上嶄露頭角的。

在我九到十歲的時候，每次當我上場擊球或打第一壘或充當接球手時，我便不再是我自己，我成了約吉或者漢克，這是我學到的最有力量的方法之一。但當我們長大成人後，卻失去這種能力，我們失去了心目中的英雄，我們失去了過去的天真。

今天，我看到年輕的小伙子們在我家附近打籃球。在庭院裡他們不再是小約翰尼，他們是麥可・喬丹、俠客・歐尼爾。模仿或趕超大英雄確實是一條很好的學習途徑。所以，當像O.J.辛普森這樣的人物名譽掃地時，人們會感到巨大的震驚和不安。

這不僅僅是一場法庭審判，這是英雄的失落。一個伴隨著人們成長起來的人，一個人們仰慕的人，一個人們奉為楷模的人，突然之間變成了必須從人們心目中抹去的人。

隨著年齡增長，我心目中又有了新的英雄，如高爾夫球英雄彼得・雅各布森、弗雷德・庫普勒斯和老虎・伍茲。我模仿他們的動作，竭盡全力去搜集與他們有關的資料。我還崇拜像唐納德・特朗普、沃倫・巴菲特，彼得・林奇、喬治・索羅斯和吉姆・羅傑斯這樣的投資家。現在我年紀大了，但我還像小時候記得ＥＲＡｓ或ＲＢＩ的棒球明星們那樣記得這些新英雄的情況。我跟隨沃倫・巴菲特的選擇進行投資，還閱讀有關他對市場的所有看法；我閱讀彼得・林奇的書，以弄懂他怎樣選擇股票；我還閱讀了有關唐納德・特拉姆的書，試圖發現他進行談判和撮合交易的技巧。

就像在棒球場上一樣，我不再是我自己。在市場上或進行交易談判時，我下意識地模仿特拉姆的那種氣勢；當分析某種趨勢時，我學著像彼得・林奇那樣思考，透過偶像的模範作用，我們發揮出自身巨大的潛能。

英雄人物不僅僅是激勵我們，他們還會使難題看起來容易一些。正因為如此，英雄人物激發我們努力做得像他們一樣，「如果他們能做到，那我也能」。

在投資問題上，許許多多的人總覺得十分困難，而瞭解和學習英雄們卻會使這些事情看上去容易一些。

十、先予後取：給予的力量。我的兩個爸爸都是教師。我的富爸爸教給了我一生受用的經驗，那就是樂善好施的必要性。我的受到良好教育的爸爸花了很長時間廣泛傳授知識，卻幾乎沒有施捨錢財。他常常說要是有額外的錢，就會施捨給別人，可是，他很少會有多餘的錢。

我的富爸爸既提供金錢也提供教育，他堅信應對社會有所貢獻。「如果你想獲得，你首先需要給予。」他總是這樣說，即使當他缺錢時，他仍繼續向教堂或他支援的慈善機構捐錢。

如果我能給你提供一種思路的話，那一定是這個思路：當你感到手頭「短缺」或「需要」什麼時，首先要想到給予，只有先「予」，你才會在將來「取」得回報，無論金錢、微笑、愛情還是友誼，都是這樣。我知道人們常常會把這件事放在最後，但事實證明這樣做對我總是大有裨益的。我相信互利互惠的原則是正確的，我為自己想要的東西付出成本。我需要金錢，所以我給予別人以金錢，然後我又成倍地收回這些金錢；我想做銷售，所以我幫助其他人出售東西，這樣我也能做銷售了；我需要訂立合同做生意，所以我會盡自己所能去幫助其他人得到合同，就像魔術一樣，我所需要的合同也來到了我手中。多年前我曾聽到一句諺語說「上帝不需要得到什麼，可是人類卻需要付出什麼」。

我的富爸爸常常說，「窮人比富人更貪婪」。他解釋說，如果一個人很富有，那麼這個人就能提供其他人想要的東西。截至今天，每當我覺得自己需要點什麼，或者缺錢，或者缺少幫助時，我就去想一想，自己心裡到底需要什麼，然後首先為此而付出。而一旦我為此而付出，那我總是能得到回報。

這使我想起了一個故事，說的是一位抱著柴木的人坐在寒冷的夜裡，對著一隻因缺柴而熄滅的大火爐叫道：「你什麼時候給我溫暖，我什麼時候才會給你添加柴木」。推而廣之，涉及到金錢、愛情、幸福、銷售以及合同等等，人們都應記住必須為自己需要的東西首先付出，然後才能得到加倍回報。常常是在思索我需要什麼東西的過程中，以及思索我能為自己需要的東西而付給別人什麼的過程中，我會突然變得非常慷慨好施。每當我感到人們不對我微笑時，我就開始笑著對人問好，然後，非常神奇地，似乎我周圍突然多出了許多微笑著的人。的確，你的世界就是你的一面鏡子。

因此最後我要說，「先予後取」。我發現，越是真誠地教那些想學習的人，我從中學到的就更多。如果你想學習有關金錢的知識，那就要先告訴別人你的看法，然後，新的思想和好的靈感就會如同山洪爆發，噴湧而出。

也有許多次雖然我付出了但並沒有任何回報，或者得到的並非我想要的東西，但憑心而論，我的大多數付出都是取得了很好的回報的。

我爸爸培養老師，最終成為一名資深教師並受到大家的尊敬。同樣的我的富爸爸總是把自己從事商務的經驗和知識教給年輕人，回想起來，當他將那些自己懂得的知識十分慷慨地傳授給別人時，他變得更加聰明。在這個世界上有許多力量比我們所擁有的能力更強，你也許可以憑自己的努力獲得成功，但是如果有了這種力量的幫助，你就更容易成功或者取得更偉大的成功。你所應當做的是：對自己擁有的東西慷慨大度一些。反過來，你也一定會得到慷慨的回報。

Chapter ten

Still Want More ? Here are Some To Do's

還需要更多東西嗎？這裏有一些要做的事情

第十章 還需要更多東西嗎？這裡有一些要做的事情

許多人可能並不滿足於我說的這十個步驟，他們把這些步驟更多地看成是一種思想而不是行動。而我認為，理解這一思想的過程本身就是一種行動。有許多人願意去做而不願意思考，也有許多人願意思考而不願意去做。我卻覺得自己既願意思考也願意去做。我喜歡新思想，也樂於付諸行動。

因此，對於那些想「去做」的人來說，如何開始呢？在此我想簡要地介紹一下我是怎樣做的，以供大家參考。

◎停下你手頭的工作。換句話說，就是先停下來，評估一下你正在做的事中什麼是有效的，什麼是無效的。神智不清就是指做同一件事情卻希望有不同的結果。不要做那些無效的事情，找一些有效的事情去做。

◎尋找新的思想。我經常到書店尋找獨特的、與眾不同的主張，以從中獲得新的投資理念，我把它們稱為模式。我買這種介紹各種「模式」的書籍，這些模式是我所不曾知道的。例如，在書店，我找到了喬爾·莫斯科維茨的《獲利率達到16％的方法》*The 16 Percent*

Solution，我買下了這本書並一口氣讀完了它。在接下來的星期四，我開始完全按照書上說的話一步一步地行動了。我去律師的辦公室和銀行尋找房地產廉價交易的機會。大部分人並不採取行動，或者被別人說服，而不去應用所學到的任何新的模式。我的鄰居就曾經對我說，16%收益率是不可能實現的，但我沒有聽他的，因為他從來沒有嘗試過。

◎找一個做過你想做的事情的人，請他和你一塊共進午餐，向他請教一些訣竅和一些做生意的技巧。就拿16%的稅收留置權來說吧。我到稅務辦公室和一位政府雇員見面，我發現她也在做稅收留置權投資，於是立即邀請她共進午餐，她也很興奮地告訴我她所知道的一切有關這種投資的做法。甚至吃過午飯後，她又用了整整一個下午來向我說明全部過程。到了第二天，我就在她的幫助下，找到了兩筆大買賣，從此我就能獲得每年16%的利息。我花了一天時間來讀有關的書籍，用一天來採取行動，用一個小時來吃午飯，又用一天時間找到了兩筆大買賣。

◎參加輔導班並購買相關錄音帶。我在報紙上尋找令人感興趣的新的輔導班廣告，有許多是免費的或只收一小筆費用。我也參加一些費用昂貴的研討班，因為這些研討班所討論的內容正是我急於想學習的。就是因為參加學習了這些課程，我才比較富有，不用出去辛苦勞作。我有許多朋友從不參加這種輔導班，他們說我是在浪費錢財，然而他們如今一直在幹著同樣的工作。

◎提出多份報價。如果我需要一處房地產，我會選看多處房地產並給出一個一般性報價。如果你不知道什麼是正確報價的話——其實我也不知道，就由房地產仲介機構來提出報價。

一位朋友希望我告訴她如何購買公寓。有個星期六，她、她的仲介人和我一起去查看了六處公寓。其中四處不太好，另外兩處較好。我提議對所有六處都發出一份報價，價格為賣主出價的一半。她和她的仲介人非常吃驚，認為這樣做未免太粗魯了，恐怕會冒犯這些賣主。但是我覺得，這只是仲介人不願意費力工作的一個藉口而已。

後來他們一個報價也沒做，而那個人仍然在尋找一筆價格「恰當」的交易。其實，你根本就不知道什麼價格才是「恰當」的價格，除非有另一處同樣的交易作為參照。大部分賣主的要價過高，很少有賣主的要價低於標的物實際價值的。

這個故事的主題是：多發出幾份報價。沒做過賣主的人，對於試圖賣出東西的感覺是不會有什麼體會的。我有一處房地產，想在數月之內賣掉它，當時我願意接受任何出價，不會在意價格有多低，即使他們只出價十頭豬我也會感到高興。報價本身並不重要，關鍵是有人報價就說明有人感興趣。也許我會反建議以一家養豬場作為交換，不要感到可笑，遊戲就是這樣運作的。記住，做買賣就是一場遊戲，而且還很有趣。報價提出來，就會有某個人說：「同意。」

我還經常使用「迴避條款」來做報價。如在房地產交易協定上，我會加上「需得到我的商業夥伴的同意」。我從不指明我的商業夥伴到底是誰，大部分人都不知道我的商業夥伴其實就是我的小貓。如果他們接受我的報價，而我又不想成交的話，我就給家裡的小貓打電話。我講這個荒唐故事的目的就是為了說明，這種買賣遊戲簡單得難以置信。所以，我覺得許多人態度太嚴肅，反而把事情弄得太複雜。

尋找一樁好的生意，一家好的企業，一個合適的人，一位合適的投資者，或任何類似的東西，就如同約會一樣。你必須到市場上去和許多人交談，做許多報價，還價，談判，拒絕或者接受。我知道有人寧可在家裡坐等電話鈴響，但是，除非你是辛蒂．克勞馥或湯姆．克魯斯，否則你最好還是到市場上去，即使只是一家超級市場也罷。從尋找、報價、拒絕、談判到接受、成交，幾乎是人的一生中要經歷的全部過程。

◎每月在某一地區慢跑、散步或駕車十來分鐘，我就會發現那些最好的房地產投資機會。一年來，我常常在鄰近地區慢跑，為的是發現某些變化。一樁交易要獲得盈利，必須具備兩個條件：一是廉價，二是有變化。市場上有許多廉價交易，但只有存在變化時，才能使廉價交易變成有利可圖的機會。因此，當我慢跑的時候，我就往有投資可能的地點附近慢跑。透過反覆觀察，我就能注意到一些細微的差異。我會注意到懸掛了很長時間的房地產賣出招牌，那意味著賣主急於成交。觀察到行駛中的卡車進進出出，我會停下來和司機交談。我還和郵政貨車司機談話，從這些人口中你可以得到有關某一地區詳細得令人吃驚的資訊。

我找到一個很差的地區，是那種人人唯恐避之不及的地區。我在一年的時間裡不時驅車經過這一區域，以觀察某些情形向好的方向變化的標誌。我和零售店主交談，以弄清楚他們尤其是新戶遷入的原因。這樣做每月只需要花很少時間，同時我還能做其他的事情，比如鍛練身體，或去商店走走看看等。

◎至於股票，我喜歡彼得·林奇的《稱雄華爾街》*Beating the Street* 一書中介紹的選擇價值有上升潛力股票的方法。我發現尋找價值增值的方法都是相同的，不管你的投資物件是房地產、股票、共同基金、新公司、新寵物、新房子、新配偶還是一家廉價出售的洗衣店。程式往往是一致的。你先要知道你在尋找什麼，然後再去尋找它！

◎為什麼消費者總是窮人。每當超市有打折銷售，如衛生用品打折時，消費者就會湧入超市，搶購回家貯存起來。而當股票市場上出現「降價銷售」時，也就是大多數人所說的股市下挫或回調時，購買者卻急於從中逃出。當超市漲價時，人們轉而到其他商店購物，相反，股市上升時，購買者卻對購買股票趨之若鶩。

◎關注適當的地方。一位鄰居以十萬美元購買了一項共同管轄權利，我則以五萬美元購買了與之相鄰的同樣權利。他告訴我他正在等著價格上漲。我對他說你的獲利額在你購買時就確定了，而不是在你售出時確定的。他是透過一位房地產經紀人來購買的，而這位經紀人卻並未擁有屬於他自己的房地產。而我是在一家銀行的破產清償部購買的。我支付五百美元上了一個課，這個課是專門講如何做這種交易的。我的鄰居認為花五百美元上這樣一個講房地產投資的課未免太貴了，他說他付不起錢，也沒有時間，所以，他就指望著價格會上升。

◎我首先尋找想買入的人，然後才去找想賣出的人。一位朋友想買一片地產，他有錢，但是沒時間去找。我發現了一處地產，比我的朋友想要的面積要大一些。我問朋友要不要，他表示願意要其中的一片，於是我把那一片出售給他，然後用很少的錢買下了其餘土地，我把剩下的土地保持在手上作一種收益。這個故事的實質是：買下餡餅並把它切成小塊。大部分人尋找的是自己能夠支付的東西，這樣他們看到的都是較小的東西。他們只購買一塊餡餅，卻因此付出更多。只盯著小生意的人是不會有大的突破的。如果你想致富，就要首先考慮較大的生意。

零售商喜歡提供數量折扣，就是因為大部分商人喜歡大額購買者。所以即使你的投資規模很小，你也可以多考慮大生意。當我的公司想在市場上購買電腦時，我就通知幾位朋友，如果他們也準備買電腦的話，我們可以一起買。接著我們到不同的零售商那裡，去磋商這筆大買賣，因為我們一共需要那麼多的電腦，我們就可以選擇最適宜的價格，我也以同樣的方式做股票。小規模投資人擅於小規模動作，因為他們思考的數量很小，他們或者單幹，或者根本就不幹。

◎溫故而知新。所有上市的大公司都是從小公司起家的。桑德斯上校直到六十多歲在失去了所有財產之後才致富。比爾．蓋茲在三十歲以前就成為世界上最富有的人之一。這些都是我們可以學習研究的案例。

◎行動者總會擊敗不行動者。

以上這些只是我過去曾經做過的事情中的一小部分，我將繼續做下去。最重要的話是

「做過」和「去做」。在全書裡我曾多次重複說過，在你獲得財務回報以前就必須採取行動。那麼現在就行動吧！

Epilogue

How to Pay for a Child's College Education for Only $7,000?

怎樣用七千美元支付孩子的大學費用呢？

後記　怎樣用七千美元支付孩子的大學費用呢？

在本書寫作即將完成付印之際，我願意與讀者分享最後一種思路。

我寫作本書的主要原因，是為了和讀者分享自己對於「財商」的一些領悟。在我看來，提高財商可以用來解決生活中的一些基本問題。如果沒有受過財務訓練，我們往往都會選擇那種標準的模式度過一生，例如辛苦工作，儲蓄，借款，然後支付很多的稅款和賬單，然而今天我們需要更好的行為模式。

對於今天許多年輕家庭面臨的財政問題，我想舉最後一個例子來加以說明。你怎樣才能支付得起使自己的孩子受到良好的教育和自己退休後舒適地生活的費用？這個例子是用來說明怎樣運用財商而不是憑藉辛苦工作來達到同樣目標的。

我的一位同班同學感到很擔心，因為存錢供四個孩子上大學非常艱難。他每月用三百美元投資於共同基金，從而積累了一萬二千美元。但他需要四十萬美元才足以供四個孩子上完大學。他要在十二年時間裡存夠這筆錢，因為他最大的孩子已經六歲了。

那一年是一九九一年，鳳凰城的房地產市場一片蕭條，人們紛紛出售房地產。我建議我的同學拿出投資在共同基金裡的一部分資金來購買一處房地產，這個主意打動了他，於是我們開始討論其可行性。他擔心的主要問題是銀行不會給他提供用於買入另一幢房子的貸款，因為他鋪的攤子太大了。我向他保證，除了銀行外，還有為財產買賣進行融資的其他途徑。

我們花了兩周時間找到一處房子，這處房子符合我們的所有要求。因為有許多房子可供挑選，所以購買的過程也饒有趣味，最後，我們找到了位於鄰近主要地區的一處三室兩廳的房子。房主希望在幾天內折價出售，因為他和他的全家要遷移到加利福尼亞，那裡有一份新的工作在等著他。

房主要價十萬二千美元，但我們只報價七萬九千美元，但他立即接受了。這處房地產交易是建立在所謂非限制性貸款的基礎上的，這意味著甚至一個無業遊民不經銀行的許可也能購買。房主債務為七萬二千美元，因此我同學只須支付七千美元，也就是房子售價和房主債務的差額就獲得了這處房地產。一等房主從房子裡遷走，我的同學就將房子出租了出去，除去所有支付的費用，包括抵押貸款利息後，他每月還有一百二十五美元的進賬。

他的計劃是持有這處房地產十二年，並用每月一百二十五美元的收益歸還貸款本金，以便盡快還清抵押貸款。我們預計在十二年裡，抵押貸款的大部分將被償還。當他的第一個孩子上大學的時候，他就可能每月淨得八百美元，如果那時候價格合適，他還可以賣掉房子從而獲得一筆價值不菲的收入。

一九九四年，鳳凰城的房地產市場出現轉機，他的房客在居住過一段時間後，非常喜歡這棟房子，於是想出價十五萬六千美元將房子買下來。他又來問我的看法，我自然主張以一〇三一遞延稅收交易方式賣掉這處房地產。

突然之間，他擁有了大約八萬美元資金來進行運作。我給在德克薩斯州奧斯汀的一位朋友打了個電話，她旋即將這筆免稅資金轉移到她組建的一間有限合夥小貨棧公司中去了。於是我的同學在三個月後開始每月收到略低於一千美元的投資收入。他把這筆錢再投入到大學共同基金中去，現在這筆基金增值得更快了。一九九六年，這間小型貨棧賣掉了，他從這筆交易中收到了約為三十三萬美元的收益。然後，這筆資金又被投入到另一個專案中去，並給他帶來每月三千美元的收入，這些收入又被投入到大學共同基金中去。他現在非常自信那筆四十萬美元的錢能夠很輕鬆地籌集到，而這一步的初始投資只有七千美元以及一點點「財商」。他將能夠輕鬆地為孩子支付所需要的教育費用，也可以將基金的資產投入到他的公司，來支付將來的退休生活。由於採取了這一成功的投資戰略，他將能夠提前退休去做一些自己想做的事情。

謝謝你閱讀這本書，我希望它能提供一些有關利用金錢的力量為你工作的有益看法。今天，即使只是為了生存下去我們也需要提高自己的財商。只有工作才能創造錢的思想是在財務上不成熟的人的思想。這並不意味著他們不聰明，只不過是沒有學到掙錢的學問。

金錢是一種思想，如果你想要更多的錢，只需改變你的思想。任何一位白手起家的人總是在某種思想的指導下，從小生意做起，然後不斷做大。投資也是這樣，起初只需要投入一點錢，最後做到很大數額。我遇到過許多人，他們花了一生的時間來尋找大生意，或者試圖籌集一大筆錢來做大生意，但是對於我來說，這是愚不可及的一種做法。我見到過太多不夠老練的投資者將自己大量的資本投入一項交易，然後很快損失掉其中的大部分，他們可能是好的職員卻不是好的投資者。

有關金錢的教育和智慧是非常重要的。早點動手，買一本好書，參加一些有用的研討班，然後付諸實踐，從小筆金額做起，逐漸做大。我將五千美元現金變成一百萬美元資產，並在每月產生五千美元現金流量花了不到六年時間，但是我依然像孩子一樣學習。我鼓勵你學習，因為這並不困難，事實上，只要你走上正軌，一切都會十分容易。

我想我已經把我的意思講清楚了，下面就是由你的頭腦來決定你的雙手該幹什麼的時候了。金錢是一種思想，有一本很棒的書叫《思考致富》，而不是《努力工作致富》。讓金錢為你辛勤工作，你的生活將會變得更輕鬆、更幸福。

採取行動吧！

上天賜予我們每個人兩樣偉大的禮物：思想和時間。輪到你運用這兩種禮物去做你願意做的事情了。隨著每一美元鈔票流入你的手中，你，且只有你才有權決定你自己的前途。愚蠢地用掉它，你就選擇了貧困；把錢用在負債專案上，你就會進入中產階層；投資於你的頭腦，學習如何獲取資產，財富將成為你的目標和你的未來。選擇是你作出的。每一天，面對每一美元，你都在做出自己是成為一名富人、窮人還是中產階級的抉擇。

選擇將這些知識與你的孩子分享，你就選擇了為他們適應將來的世界作準備，要知道沒有其他的人比你更合適來開導你孩子的智商。

你和你孩子的未來將由你今天作出的選擇來決定，而不是明天。

我們衷心希望你能運用上天賜予的偉大禮物來賺取大量財富，獲得更多的幸福。

羅勃特・T・清崎

莎朗・L・萊希特

《富爸爸，窮爸爸》

的

出現

★挑戰傳統的財富觀念，揭示了成為富人的祕密★

★推翻「高薪」等於「致富」的財富法則★

★倡導以穩定的「現金流」保障你的生活★

★教你真正分清資產與負債，從容面對個人財務的潮漲潮落★

★父母不能把提高孩子「財商」Finacial I.Q.的希望寄託於現有的學校教育系統★

★告訴你和你的孩子如何才能達到「財務自由」的最高境界★

作者簡介

羅勃特・T・清崎（Robert T Kiyosaki）

他教人們成為百萬富翁，這就是為什麼人們稱他為百萬富翁學校的教師的原因。

「人們在財務困境中掙扎的主要原因是：他們在學校裡學習多年，卻沒有學到任何關於金錢方面的知識。其結果是，人們只知道為金錢而工作……但從來不學著讓金錢為自己工作。」羅勃特這樣說。

羅勃特生在夏威夷，長在夏威夷，是第四代日裔美國人。他出生於一個教師家庭，父親在夏威夷州教育部任職。高中畢業以後，羅勃特在紐約接受教育，大學畢業後加入了美國海軍陸戰隊，作為軍官和艦載武裝直升機駕駛員，被派往越南戰場。

從戰場上歸來後，羅勃特開始了自己的商業生涯。一九七七年他創立了一家公司，首次將用尼龍和「維可牢」Velcro搭鏈製成的「衝浪者」wellets錢包投放市場，後來這一產品在世界範圍內成長為價值數百萬美元的產業。他和他的產品在《賽馬世界》、《紳士季刊》、《成功雜誌》、《新聞周刊》上被廣泛介紹。

一九八五年，他離開商界，與別人共同創建了一家國際教育公司。這家公司在七個國家設有辦事處，向成千上萬的學生教授商業和投資課程。他主持長達一年的節目透過懷舊有線網在全美播放，以傳播他的教育理論。

羅勃特在四十七歲時退休，做起他最喜歡的事情——投資。深感「有為者」與「無為者」之間不斷擴大的鴻溝，羅勃特發明了一種教育玩具——「現金流」紙板遊戲，並用它教會人們去玩那些在以前只有富人們懂得的金錢遊戲。

雖然羅勃特經營的是房地產和小型公司，但他真正愛好和熱衷的卻是教育。他曾和沃格．曼丁諾、吉格．金格拉和安東尼．羅賓斯等人一道同台演講。羅勃特．T．清崎要傳遞的資訊是清楚的。「為你的財務負起責任或一生只聽從別人的命令，你要麼是金錢的主人，要麼是金錢的奴隸。」羅勃特舉辦過長到一周短到一小時的輔導班，教給人們有關富裕的秘密，雖然他的主題是透過投資來獲得低風險的高回報，以及教會孩子們致富、教人們創立公司並將其出售，但他發出了一個強烈的資訊，這個資訊就是：你的天賦正等待被開發出來，請喚醒你的理財天賦。輔導班大部分參加者會高興地離開，也有的很惱火，但每個參加過的人都深深地被打動了。

世界著名的演講家和作家安東尼．羅賓斯這樣評價羅勃特的工作：

「羅勃特．T．清崎所做的教育是有巨大影響力的、深刻的，也可以說是改變人生道路的工作，我對他的努力極為敬佩和推崇。」

在經濟變革迅猛發展的新世紀，羅勃特的話將是無價之寶。

作為一位妻子和三個孩子的母親，作為一位註冊會計師，玩具和出版業的一位資深經理和諮詢專家，莎朗・L・萊希特把她的專業知識奉獻給了教育事業。

她畢業於佛羅里達州立大學薩馬卡姆勞德學院，獲會計學學位。隨後，她進入了當時的八大會計師事務所之一，成為躋身這一行業的首批婦女。後來，她陸續做過電腦行業的一家增長迅速的公司的財務總監，一家全國性保險公司的稅務指導，威斯康辛州第一家地區性婦女雜誌的創刊者和聯合出版者，同時她還一直保持著一位註冊會計師的職業聲譽。

她對自己孩子的成長十分關注，因此，她將自己的努力重點轉向了教育領域。讓孩子讀書簡直比登天還難，他們更愛看電視，而電視上的兒童節目降低了他們對於閱讀的興趣。她意識到學校根本沒有採取有效行動來面對這一挑戰。

因此，她加入了創造第一本電子書籍——「會說話的書」的努力，這一產業如今已發展成為一個價值數百萬美元的國際市場產業。在透過借助新技術將書籍帶回到孩子們的生活中的努力中，她一直站在前列。

隨著孩子們的成長，她更熱情的投入到對他們的教育中去。她成為積極推動加強數學、電腦、閱讀和寫作等方面教育的活躍分子。她堅持不懈為提高整個教育系統的效率而奮鬥。

「今天我們的教育體制已不能跟上全球變革和技術創新的步伐。我們不僅要教育我們的年輕人在學術上的技能，也要教育他們理財的技能，這不僅是他們在這個世界上生存下去，而且是生活得更美好所必須具備的技能。」

作為《富爸爸，窮爸爸》一書的作者之一，她將自己的注意力轉向現行教育體制的一大缺憾，即對財務基礎知識教育的完全忽視上。對任何有興趣提高自己的財商和改善財務狀況的人來說，《富爸爸，窮爸爸》一書都是一個很好的教育工具。

謹以本書

獻給全世界的父母——

孩子們最重要的老師

請沿虛線剪下裝訂寄回，謝謝！

高寶國際有限公司 讀者回函卡

爲提升服務品質，煩請您塡寫下列資料：

1.您購買的書名：＿＿＿＿＿＿＿＿＿＿＿＿

2.您的姓名：＿＿＿＿＿＿您的年齡：＿＿歲 您的性別：□男 □女

3.您的e-mail：＿＿＿＿＿＿＿＿＿＿＿＿＿＿

4.您的地址：＿＿＿＿＿＿＿＿＿＿＿＿＿＿

5.您的學歷：

□國中及以下 □高中 □專科學院 □大學 □研究所及以上

6.您的職業：

□製造業 □銷售業 □金融業 □資訊業 □學生 □大衆傳播

□自由業 □服務業 □軍警 □公務員 □教職 □其他

7.您從何得知本書消息：

□書店 □報紙廣告 □雜誌廣告 □廣告DM □廣播

□電視 □親友、老師推薦 □其他

8.您對本書的評價：（請塡代號1.非常滿意2.滿意3.偏低4.再改進）

書名＿＿ 封面設計＿＿ 版面編排＿＿ 內容＿＿ 文／譯筆＿＿

價格＿＿

9.讀完本書後您覺得：

□很有收穫 □有收穫 □收穫不多 □沒收穫

10.您會推薦本書給朋友嗎？

□會 □不會，為什麼＿＿＿＿＿＿＿＿＿＿＿＿

11.您對編者的建議：

※感謝撥冗回函，特於每月抽出三名幸運讀者，致贈下月新書一冊先睹爲快※

請沿虛線剪下裝訂寄回，謝謝！

廣告回郵
北區郵政管理局登記證
北台字12548號
免貼郵票

Rich致富

高寶國際有限公司

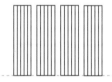

地址：台北市114內湖區新明路174巷15號10樓
電話：（02）2791-1197
網址：www.sitak.com.tw

高寶國際集團

品質保證